讓瑜伽當你健康的守護神

陳玉芬◆著

自　序

浩瀚宇宙，我有如寄蜉蝣於天地，渺滄海之一粟，那麼微不足道，似是可有亦可無。於室於家我又是那麼突顯於異衆，有如泰山梁木重。我不敢言喻家不能沒有我，但沒有我，幸福卻肯定不會擁有，是以如何維繫健康是妳我重要的課題。

人以五穀雜糧果腹，而以現今環境之污染，難保不為疾病所困擾，如何排除疾病讓自己活得健康又快樂，衆說紛紜，我們雖不能不信，但必須求證。時下太多牽強附會的健康運動，繞了一圈求證再求證，恐怕又已數十寒暑；人生又有幾個寒暑，再說疾病的折騰，恐怕只有不勝唏噓，徒嘆時不我予。

如何利用瑜伽來排除疾病，筆者累積多年的教學經驗，祈望能帶給您新的嘗試，不諱言的，生病切莫諱疾忌醫，瑜伽只是一種保養、預防，至於治病，醫生還是您最正確的選擇。

工商社會的緊張或多或少都為我們帶來慢性病的積存，吃藥、打針是可藥到病除，但以一種不是病的病，經年累月的形影不離，還眞叫人黔驢技窮疲於應付，一些診斷書開出請不了病假的病，雖說不是病，但也夠煩人。難道我們就不

能健健康康快快樂樂的過著幸福美滿的人生嗎？在此慎重的介紹《讓瑜伽當你健康的守護神》這本書，有空時請您常翻閱，相信定是受惠無窮！祝福之。

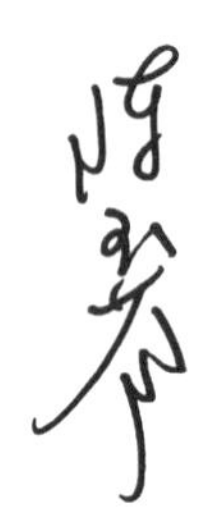

目　錄

☆自　序　i

☆前　言　1

☆瑜伽「六不」訣　5

☆瑜伽施行注意事項　6

☆經絡、穴道與瑜伽　8

☆瑜伽入門體位法　11

- 拜日式　11

☆您的體重直線上升嗎？　14

寸寸追蹤身材，錙銖必較體重　14

- 腹部動作　15
- 空中漫步式　17

☆您終年為病魔所困嗎？　19

預防病魔所困——勤練瑜伽　19

- 鳩王式　20
- 側拉弓箭式　22

☆您的體質虛弱嗎？　24

親愛的！我把身體變強壯了！　24

- 烏鴉式　26
- 蜥蜴式　27

☆您無法集中注意力嗎？　29

瑜伽爲您的注意力集中加分　29

- 山立式　30
- 鷺鳥式　31

☆您易緊張、疲勞嗎？ 34

緊張、疲勞——源自壓力 34

・心曠神怡式 35

・猴王式 36

☆您無法紓解憂鬱、放鬆心情嗎？ 38

紓解心愁與憂鬱的妙方 38

・射手式 38

・攤屍式 41

・牛臉式 42

☆您無法掌握自己的情緒、心浮氣躁嗎？ 44

掌控情緒才能眞自在 44

・金剛坐姿 44

・蓮花坐姿 49

☆您是一個沒有自信心的人嗎？ 51

強化自我精神和肉體力量找回自信心 51

・樹木式 51

・舞蹈式 53

☆您每天憂鬱自己老化嗎？ 55

瑜伽幫您晉升不老林之列 55

防止老化的嘸唖法 56

・青春式（鴿王式） 56

・小鳥式 58

☆您為內臟下垂擔心嗎？ 60

瑜伽請下垂的內臟回位了！ 60

・牛面變化式 61

・頭手倒立式 63

☆您經常腰酸背痛嗎？ 65

瑜伽向腰酸背痛說再見 65

・雲燕式 66

・90°腹部動作 67

・蝸牛式 69

☆您經常頭昏、頭痛嗎？ 71

惱人的緊張性頭昏、頭痛 71

・抱頭頂輪式 72

・頭立三角山式 73

☆您經常感冒、咳嗽、氣管炎嗎？ 75

咳嗽、氣管炎瑜伽身心調攝有訣竅 75

・犬式 76

・翻騰魚式 78

☆您鼻子過敏嗎？ 80

哈達瑜伽鼻子淨化法 80

・鼻子清淨法 81

・循環呼吸法 83

☆您有肩頸酸痛及五十肩毛病嗎？ 85

肩頸酸痛靠運動擺脫它 85

・扇子式 86

・鎖環蓮花式 87

☆您想擁有健康與財富嗎？ 89

擁有健康財富始自瑜伽 89

・胸貼地貓式 90

・後仰式 93

☆您常胸口鬱悶、心情不悅嗎？ 95

開心、愉悅、少鬱悶 95

・駱駝式 96

・海蝦式 97

☆您的心肺功能亮紅燈嗎？ 99

心肺功能靠自救 99

・輪式 100

・頭肩手足離地式 101

☆您有視力減弱、近視的現象嗎？ 103

眼睛也需要運動 103

・蝗蟲王式 103

・視力法 105

☆您神經衰弱、易失眠嗎？ 107

瑜伽幫您解除睡眠障礙 107

・頭頂輪變化式 108

・兔式 110

☆您有腸胃不適的情況嗎？ 112

健胃整腸——瑜伽是專家 112

・單手駱駝式 113

・蜜蜂式 115

☆您有便秘情況嗎？ 117

舒暢排便，身輕如燕 117

・拔瓦斯式 118

・膝立側彎式 119

☆您性能力有退化現象嗎？ 122

「性」福等於「幸」福您信不信？ 122

・吉祥式（合蹠式） 123

・彈臀式 124

☆**您生理期經痛嗎？** 126

婦女朋友的專利——生理期 126

・站立獅式 127

・鱷魚式 129

☆**您罹患慢性疾病嗎？** 131

健康DIY 131

・前彎式 132

・全弓式 133

☆**您怕寒冬皮膚乾裂嗎？** 135

健康瑜伽指壓創美肌 135

・雲雀式 136

・豎立蓮花式 137

☆**您有關節炎嗎？** 139

瑜伽幫助您消除這裡酸、那裡痛 139

・天秤式 140

・貓伸懶腰式 142

☆**您有坐骨神經痛嗎？** 144

坐骨神經痛的診斷與預防 144

・身印式 146

・左右分腿前彎式 147

☆**您有腿腫脹及抽筋現象嗎？** 149

消除腿腫脹，修長雙腿瑜伽有妙方 149

・膝立半弓式 149

・扭腰舒緩式 151

☆**您為克服更年期障礙而不適嗎？** 153

瑜伽讓您的更年期不再是老化的代名詞 153

- 四角形式 156
- 海狗式 157

☆**您常頭昏眼花、貧血嗎？** 159

瑜伽運動儲存您的血本 159

- 犁鋤式 159
- 金頂式 161

☆**您有高血壓症狀嗎？** 163

壓力處理不當易引起高血壓 163

- 天鵝式 164
- 駱駝變化式 166

☆**您腹部贅肉無法消除嗎？** 168

消除贅肉，驚艷一夏 168

- V字變化式 168
- 滑翔式 171

☆**編後語** 172

☆**附錄** 174

（一）理想健康檢查之建議 174

（二）「自主神經失調症」自我測試法 175

（三）乳癌自我檢查法 179

（四）男性、女性理想體重對照表 181

☆**瑜伽課程體驗券** 183

前　言

每個人都渴望峻宇雕牆、家財萬貫，但是當您擁有全天下，卻無法擁有健康，夫復何用？富裕的社會，人們不再爲柴米油鹽醬醋茶張羅苦惱，健康運動已漸漸爲國人所重視，如何使自己遠離病痛，避免未老先衰，已是生活上之重點，誠然可喜。

瑜伽魅力知多少？一般到瑜伽天地學瑜伽的人，其最初動機不外乎是爲了健康、美容、安定精神及強化性格。歷經些許時間以後，他們皆會嘖嘖稱奇，因爲如此緩和的運動不僅能達其目的，還具有許多神奇效果，眞是令人難以筆墨形容。

矯正身體歪斜傾向

人類的身體總是容易在不知不覺中前後左右傾斜，其原因可能是日常生活、工作時慣用某一姿勢、部位或是股關節脫節、內臟發生病變及心情鬱卒所致，這樣的情形若置之不理，歪斜現象就會愈來愈嚴重，甚而導致五官的歪曲。此外，歪曲的姿勢將使得內臟受迫，招致韌帶受損、肌肉僵硬，並引發肩膀酸痛、頭痛、失眠、腰痛等症狀。由於這些因素，人也隨之感到沮喪、晦暗，而瑜伽正是改善這些症狀的特效藥，因爲瑜伽行法結合了許多前後彎曲、躺臥、扭轉

之動作，例如：失眠可藉抱頭頂輪式、腰椎疼痛可藉蝸牛式來治療等，總之，針對不同的症狀，瑜伽都有確實可信的療效。

防止老化，返老還童

科技的昌明與進步，自動機器取代了人們勞力的工作，動腦、動口，就是不動手。基此，活動量的減少各肌肉關節器官萎縮的現象勢必出現。這樣的情形短時間內或許尚無大礙，但長期下來連骨與骨間之韌帶、椎間板都有可能變化，這種情況一旦產生，不僅血液循環會受阻，腦中風、動脈硬化、心臟病等文明病也將以此爲引隨之來襲。配合呼吸進行的瑜伽行法，可提供大量氧氣予體內受損細胞，防止老化，促使人體細胞返老還童，頗具效益。

促進內臟機能

時下眾生三不五時肚痛腹瀉、便秘、消化不良，這些除了緊張因素外，還有胃腸機能欠佳，治療方法大多數人皆以坊間成藥爲訴求，然而，這只是治標不治本的作法。瑜伽行法由於配合呼吸進行，體內氣流不僅可獲調整，胃腸機能也會隨之提高，再者，呼吸、冥想可消除緊張壓力，使自主神經免受威脅，如此，對內臟機能自然就有所助益。所以，這是一種可使體質根本改善的運動，何不嘗試嘗試。

調整內分泌功能

人體的生長發育包括各種新陳代謝，器官功能、生理活動，以至於性別差異、生殖功能皆與內分泌有密切關係。因此，內分泌一旦失調就會出現一些毛病，如自主神經失調所引起的頭痛、心悸、慵懶等。

對於這類失調問題在我們的日常生活中隨時可見，與其病發時借助藥物治療何不於平日勤加保護，強化其功能，而瑜伽正具備此療效。從人的情緒和荷爾蒙的關係來看即可一目瞭然，控制內分泌機能的腦下垂體，間接受大腦右皮質「感情座」之影響，若是情緒不穩，腦下垂體也會隨之不正常，所以定心成了穩定內分泌之重要法則，而瑜伽行法正符合其所需。此外，針對不同內分泌腺，瑜伽皆有其獨到治療法。

擁有令人稱羨的窈窕曲線

瑜伽減肥法優於其他減肥法之理由：

1.雖是緩慢運動，但其熱量消耗量卻不比一般運動量少，所以效果相當顯著。

2.可安定情緒，讓原本因發洩情緒所引發的暴飲暴食習慣受到控制。

3.瑜伽體位法及冥想法可做意識性停留，所以想瘦、想

矯正的部位皆可如願達成。

4.心平氣和、容顏、表情自然閃閃發光相由心生，加上優美動作，將使人有青春活力之美。

5.瑜伽是利用人類與生俱來的自然能力改善體質，所以一旦減肥成功，二度發胖之機率猶如滾石求苔般微乎其微。

消除疲勞、解除緊張壓力

隨著經濟的快速成長，世界成爲地球村已是事實環境，人際都變得複雜不可預測，精神也隨之倍受考驗。此際難以臆測下一刻將會發生何等情事，疲於應付突發狀況所引發之病症，最常見的便是頭痛、頭暈、失眠、心悸、易怒、煩躁、不安等所謂自主神經失調症。瑜伽正是克服這類心理因素所造成之毛病的最佳運動，瑜伽行法和一般運動一樣具有調身、散發體內多餘熱量，進而感覺神清氣爽。此外，其中所配合調息法之效果亦不容忽視，因深長的呼吸是安定心靈不可或缺之行法。

再者，瑜伽最大的效果在於調心，藉由冥想讓人心無旁鶩及雜念，大腦得到充分休息，自然自主神經所引發之不快感就會消失無蹤，而且原先焦躁性格也會有所改善。

總之，瑜伽可說是身心健康的守護神。

瑜伽「六不」訣

學習瑜伽有六「不」原則需要用心記住：

1.不必勉強。做任何動作，按部就班，循序漸進，順其自然，效果將更快顯現。
2.不要灰心。初學者，動作絕對無法完全標準，身體柔軟度在練習時可借助椅子、或貼附牆壁來練習，千萬不要灰心，輕言放棄。
3.不在飯後立即練習。通常在飯後一至二小時左右，胃部消化舒服後再進行，才是眞正保健之道。
4.不在堅硬水泥地上練習。最好在地毯或鋪上一塊毛巾的地方進行，以免造成傷害。
5.不穿太緊的衣飾。穿著舒服，如寬鬆的衣服或韻律服裝，將有助於姿勢的正確性和活動的舒適性。
6.不要間斷。最好每天進行一次練習，「三天打魚，兩天曬網」效果一定是令人沮喪的。

瑜伽練習隨時、隨地都可以進行，但在做運動時，如有任何不舒服，應該馬上停止，休息，在身體恢復正常時，才可以再繼續，持之以恆，抓住方法，你將可以擁有人生最無價的財富健康。

瑜伽施行注意事項

就初學者而言，對於剛開始的練習經常感到手忙腳亂、呼吸也不怎麼順暢、頭暈，甚至練完後隔天全身酸痛等，出現了不太舒服的現象。請別擔憂，這是個正常的現象，也是練瑜伽的必經過程。數次後您將會享受到痛過後的舒適，相信此刻的您已漸入瑜伽的世界。

瑜伽既非魔術，亦非競技。不做表演，也不做任何比賽，只是用來調心健身預防疾病。在學習的過程中，切記一個原則：不可過份勉強，盡力而爲，切勿操之過急，並隨時本著不和他人一較高下的心態，畢竟體質有所不同，稍有閃失，弄巧成拙反將得不償失。只要抱著「明天會更好」，漸入佳境絕非難事。

「持之以恆」是練好瑜伽的不二法門！未能持之以恆，又怎能期望練習好瑜伽來健身、預防疾病呢？只怕三天兩頭練一次，身體筋骨永遠都在standby，永遠都是第一次，第二天總是酸痛，會想繼續練才怪呢！瑜伽雖非百裡挑一非練不可，但是一旦練習了您將會喜歡上「她」，因此爲了健康與幸福，別猶豫！縱使未能天天練習，一週之內亦別少於兩次。把握每一天，不要爲自己找任何理由當藉口而拖延，因爲眞正能掌握健康和美麗的是您自己！

學習瑜伽「如人飲水，冷暖自知」，要靠親身體驗和感

覺，相信只要持之以恆的練習，自能體會瑜伽的好處，以及享受瑜伽的樂趣和收穫。

經絡、穴道與瑜伽

經絡穴道與瑜伽，同樣發源於印度，但經絡穴道卻是在中國完成，利用身體經絡穴位的按摩術，亦是中國古代醫學的獨創，在古書《黃帝內經》中記載，按摩在歷代均受到宮廷的重視，在唐朝，《百官誌》一書中亦有著墨，當時宮中除了有太醫一職外還有按摩師的存在，並請按摩師特別教授九品官按摩之技巧，因此可見當時受重視的情況，同時依據身上的穴道加以按壓治療疾病，稱之爲點穴療法，也稱經學療法，它是由武術所演進。武術進行拳腳無眼，受傷時即可用指壓穴點來醫治，人的身體有十二條經絡，每條經絡有它的發生作用，而十二條經絡也息息相關成爲一個健康身體基本生命素的循環，藉由運氣也就是呼吸來活絡了這些經絡，也等於擁有活躍的生命素及強壯的身體。

各經絡及其作用如下：

1.肺經：以肺臟爲中心發生作用。

2.大腸經：以大腸爲中心發生作用。

3.胃經：以胃爲中心發生作用。

4.脾經：以胰臟爲中心發生作用。

5.心經：以心臟或心的活動爲中心發生作用。

6.小腸經：以小腸爲中心發生作用。

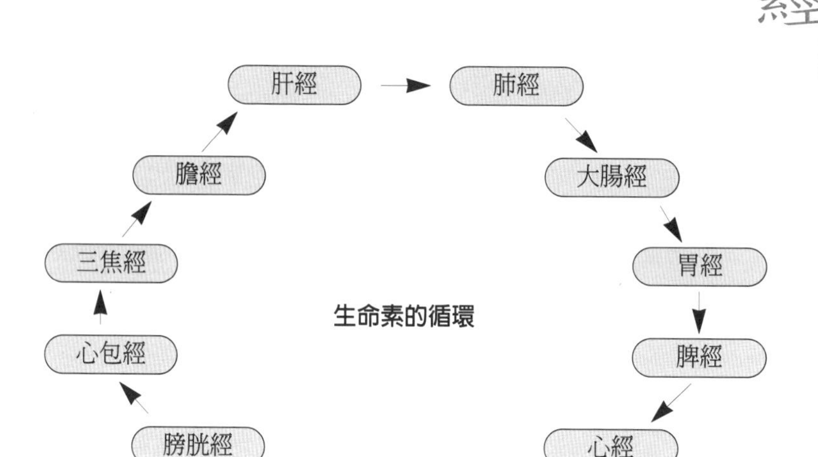

7.腎經：以神經系、腎臟爲中心發生作用。

8.膀胱經：以膀胱等泌尿器爲中心發生作用。

9.心包經：以心臟、腸等中樞循環系爲中心發生作用。

10.三焦經：以身體的表面神經等的末梢循環系爲中心發生作用。

11.膽經：以膽囊爲中心發生作用。

12.肝經：以肝臟、生殖器爲中心發生作用。

少林功夫與瑜伽術可謂是異曲同工不謀而合，擁有靜功與武術，武術可以保護自己亦可擊潰敵人護身防敵。古代練武之士，即以點穴手法來自保與治療，當操作點穴時患者會有局部酸、脹、麻等現象，且操作使用重力時有抑制作用，輕力手法時有興奮作用，再輕柔手法則有催眠作用，但任何的點穴療法最後必定需要再做放鬆的輕鬆法來緩解及平衡。而以瑜伽來說，靜功即是瑜伽的呼吸（調息）及冥想，而武術即是體位法，瑜伽運用體位法來操作身體，依動作之不同而達刺激腺體及經絡穴道，進而擁有強身之功效。當練習時身體亦會有酸、脹、麻等現象，同時完成每個動作後必須再做調息，以放鬆紓解與平衡，因此瑜伽是古老的療法，無副作用、非損傷性不介入人體的自然療法，相信也必將在下一世紀人類衛生保健事業中，發揮更大的作用，因它是一種富於技巧的人體運動形式，利用一種獨特的肢體伸展按壓、扭轉激發身體的經絡穴道。這種運用動作外力作爲一種刺激因素，激活了經絡系統的調整功能，使身體趨於康復進而減輕疼痛去除疾病，調整經絡氣血循環趨於正常並改善體質，因此經絡穴道與瑜伽是密不可分的。經絡穴道對身體發生的作用，更可讓您瞭解每個體位法之刺激點及產生功效的源由。

瑜伽入門體位法

拜日式體位法是瑜伽基礎柔軟術，也是一套最合理有效的全身調適法，拜日式共由十二個前彎、後仰、扭轉……所融合而成的一個從頭動到腳的完整體位法，也是基本的瑜伽暖身操，當您要進入瑜伽任何體位法的練習前或從事其他的運動前均可先施行拜日式，可達暖身之功能以預防運動傷害。

拜日式

做法：

1 雙手合掌，閉目做深呼吸。

2 吸氣，後仰，止息。

3 吐氣，前彎（雙腳膝蓋不能彎曲）。

4 左腳向後伸直，吸氣臉朝上。

5 吐氣，雙手著地雙腳伸直用手及腳尖力量撐住身體，做深呼吸。

6 膝蓋著地，手肘彎曲，胸口順著地板向前推，吸氣。

7 吐氣，上身提起臉朝上。

8 吸氣，手腳用力將身體撐起，吐氣使身體成三角形，做深呼吸。

9 吸氣，右腳向後伸直，吐氣臉朝上。

10 右腳收回來，身體前彎做深呼吸（膝蓋儘量保持伸直）。

11 吸氣後仰，止息。

12 吐氣，還原，調息。

效果：拜日式體位法不僅可使全身的血液循環暢通，同時可藉著配合活動韻律的呼吸法，而使充滿於血液中的氧氣更能發揮消除貧血症狀的良好效果，同時可增進內臟器官的機能並增加造血力，以及矯正整個背脊骨的歪斜，並調整自律神經，可使全身姿態端莊，且變得漂亮而苗條。亦可使全身充滿精力，產生工作熱誠且精神愉悅。

5
6
7
8
9
10
11
12

您的體重直線上升嗎？

寸寸追蹤身材，錙銖必較體重

肥胖，總是讓人難以接受，否則坊間的瘦身減肥中心怎會如雨後春筍般一間又一間的大張旗幟鴻圖大展？減肥之不易的確使胖哥胖姐們傷透腦筋，然而未能持之以恆，卻也往往成為寬恕與原諒——「肥胖又不是罪過」、「福相福相潔白似玉不也很可愛嗎？」殊不知肥胖卻是疾病的宿主與根源，怎可不錙銖必較呢！

超重會妨礙您的健康和縮短壽命，若是您的體重超過標準20%，您將會大大提升罹患心血管疾病、腦病變、高血壓、糖尿病、痛風及腸胃疾病的機率。當然，若是您超過標準體重30%、40%或50%以上時，其危險性亦相對提高，猶如抱著一顆不定時的炸彈般，您將能隨心所欲嗎？

肥胖是如何造成的？簡單來說是身體新陳代謝率減低所產生的，也就是身體無法有效的將營養轉換成細胞所需的原料或能量，這些無法轉換的營養就被儲藏起來而變成了肥胖的主因。

很多人相信減肥及控制體重就是減少食物多做運動，也有人使用各種減肥的方式，如減肥藥品、減肥茶、纖維食品、飢餓療法、斷食、抽脂術……來達到減肥的目的。這許

多方式只能達到暫時的效果，長遠來看則會擾亂身體的機能，長期使用還會導致身體的疾病產生，非但不安全，副作用更是令人得不償失。而目前唯一經過無數學員證明的瑜伽練習是最經濟實惠、最有效且最安全的控制體重、促進新陳代謝、減輕體重的好方法。

瑜伽的練習能使身體內臟機能自柔和互進的內在調和，製造新的生理機能，對內有舒暢通順協調之感，使新陳代謝活絡並有效將營養轉換成細胞所需的原料或能量，將多餘的廢物排出體外不予儲藏而達保持體重之功效。對外還有助皮膚之保養及保持曲線的優美。

在此介紹兩個姿勢：腹部動作及空中漫步式，加強勤練，您會發覺，腹肌變有力了，腹部贅肉也消失了，同時體重也不容易上升。

腹部動作

做法：

1 平躺做深呼吸。

2 吸氣雙腳舉高90°，腳尖伸直，吐氣雙腳下降至45°，來回6次。

3 吸氣雙腳離地45°，停留數秒，做深呼吸。

4 緩慢還原，用雙手按壓腹部。

5 放鬆還原，調息。

效果：①此動作因腰、腹直肌用力徹底，可強化腰腹力氣。②當停留時意念可放在丹田處，並不斷地告訴自己可以用力，強化意識力。③強化耐力，增加體力。④因腹肌刺激處可達預防腹痛現象，強腹固腰。⑤預防腹瀉、便秘，並可消除腹部贅肉。⑥經常練習亦可預防體重上升。

注意事項：吐氣，縮腹腰著地，如此腹部更能感受到壓力及酸度，效果比較顯著，脂肪燃燒徹底，因此不論體力是否好，每次練此式要做到自己感到腹部、腰部有用力的酸感效果才會佳。

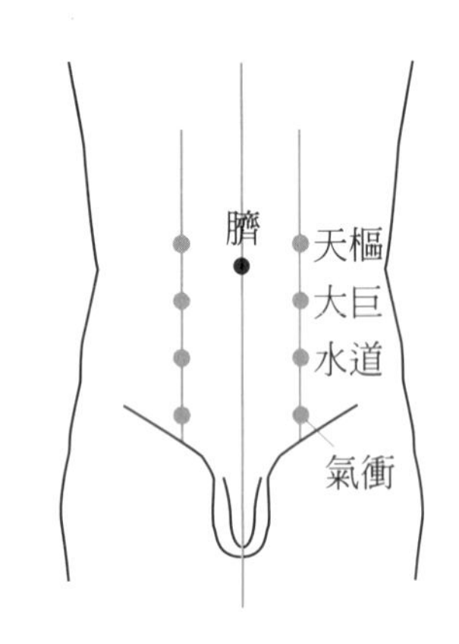

經絡穴位：此姿勢可刺激腹直肌，及按壓腹穴道來緩和腹肌

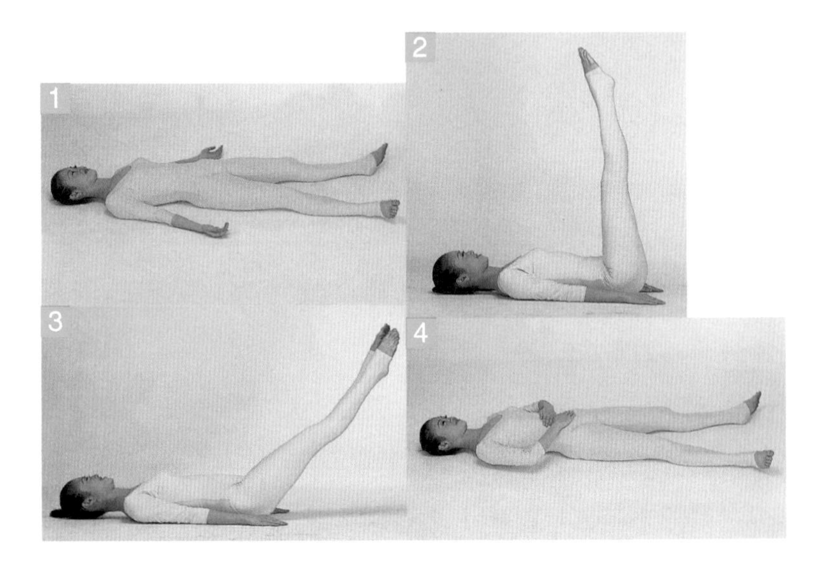

的緊張以使動作效果更佳。

空中漫步式

做法：

1 平躺在地上，做深呼吸。

2 吸氣，雙手雙腳舉高90°，吐氣。

3 左手往下連同左腳也往下，但不著地，再換右手右腳往下，左手腳就拉回90°來回左右側各做十次。

4 還原放鬆，調息。

效果：①練習過程中手腳應盡力伸直來回擺動，意念集中腹肌處用力，可達收腹縮腰之效果。②可靈活手腳，控制體重，增強體力與耐力。③促進新陳代謝與血液循環，預防手腳抽筋現象。

注意事項：練習過程中手腳須盡力伸直，用力來回擺動，儘量做到腹肌及手腳因用力而酸痛感才還原，尤其是體力足夠的人可多做幾回效果會更佳。並特別提醒練習過程中

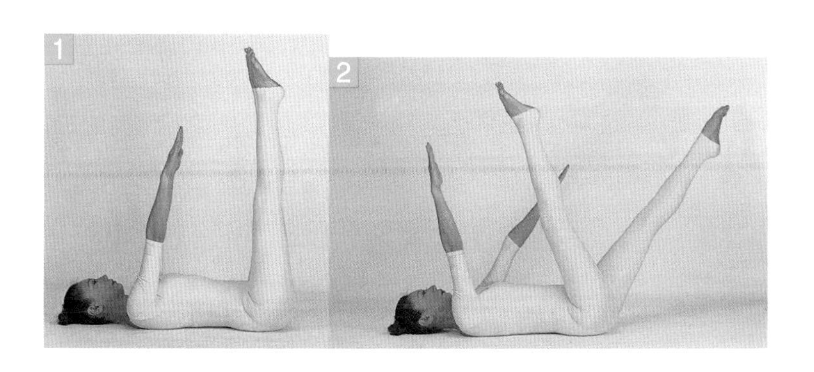

要保持順暢的呼吸，不要因用力而有閉氣現象。

經絡穴位：此動作的擺動可牽引手腳的經絡血液循環暢通而使氣血活絡，筋骨靈活有助經絡穴道的運行營造暢活。

您終年為病魔所困嗎？

預防病魔所困——勤練瑜伽

處於功利主義的社會，人們對於物質上的享受需索無度，使得大部分人在年輕時，必須專注於事業、家庭而忙碌不堪，根本無暇活動身筋。一旦步入中年，不請自來的病魔也悄悄開始入侵身心，又因久不動而愈不想動，就算有心似乎也提不起勁，更因體力不支、身體不適、肌肉酸痛等似是而非的因素而打退堂鼓。時常運動的人通常都較為重視健康，亦知曉及早未雨綢繆為老年生涯做規劃的人，生理與心理也都較不愛運動的人健康。或許您會有所疑問，上了年紀何種運動較為適合？看書至此，答案當然是「瑜伽」。柔性的訴求，依能力行事，不像其他運動般劇烈，練習瑜伽，無論您的體格、個性、環境、興趣的不同都別擔心是否合適練瑜伽，因為瑜伽是一項很經濟實惠又不假求人的運動，並可以隨個別狀況自由調適運動量及時間，安全性高，而且可依個人體質來選擇適合自己身體情況及需求的體位法，來改善身體的弱點，去除疾病，增強體力改善體質，趕走病魔，而且也是一項很適合中老年人持之以恆的運動。

總而言之，人要活就要勤運動，才能預防各種疾病的纏身，早日付諸行動，勤練瑜伽，有規律地持之以恆去做，就

能充分享受瑜伽帶來的樂趣及健康的好處，並預防被病魔所困。

鳩王式

做法：

1 站立腰背挺直，做深呼吸。

2 將兩腿前後分開，臀部慢慢往地上坐，將兩手放在地板上。

3 將右腳彎曲並將頭後仰，直到整個腳板碰到頭部為止，停留數秒，做深呼吸。

4 還原，換腳再做一次。

效果：①柔軟肩膀、頸部及腰部。②促進氣管扁桃腺及

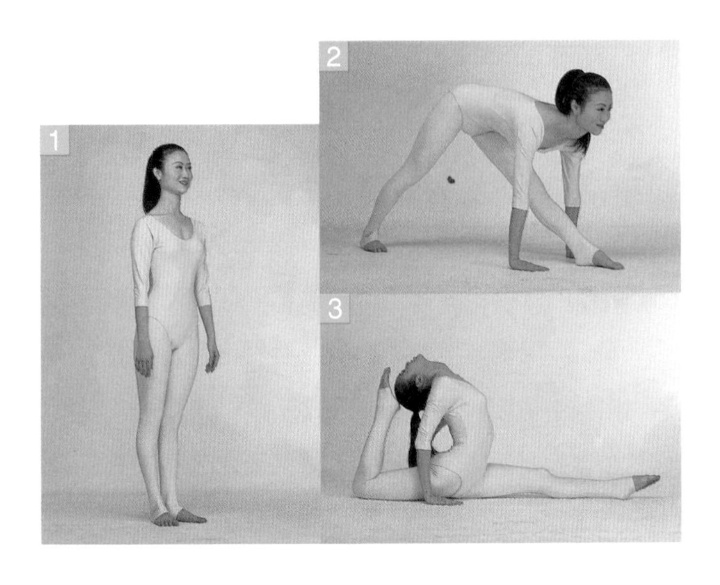

甲狀腺、副甲狀腺的機能。③能緊縮大腿肌肉美化腿部線條。④恢復骨盤的彈性增加性能力。⑤促進血液循環預防疾病使心胸開闊，心情愉悅。

注意事項：初學者剛開始練習可能連腿部都無法劈坐在地上，不要氣餒亦無需勉強，可先練習腿部筋骨之伸展動作，例如前彎式及左右分腿前彎式（本書中均有動作介紹），一段時日後再來練習此式就能駕輕就熟了。

經絡穴位：此動作因下巴往上方拉緊頸部而刺激到頸部包括廉泉穴、扶突穴、天鼎穴等穴位，以及腿部伸展到足少陽膽經、足厥陰肝經，除此之外，腰亦因後仰而按壓腰脊穴位使得功效更卓越。

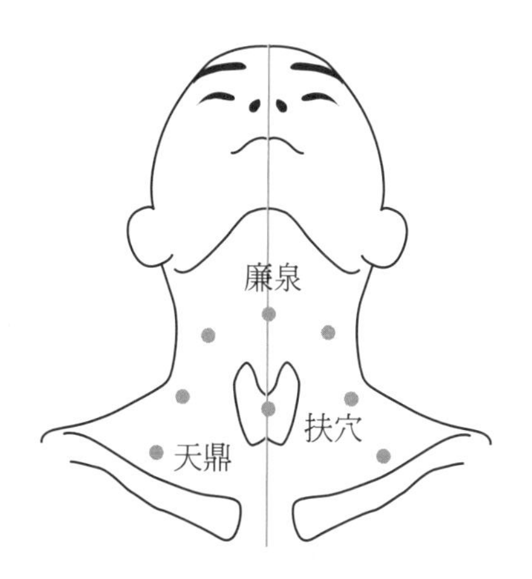

側拉弓箭式

做法：

1 趴在地板上，做深呼吸。

2 雙膝彎曲，雙手抓住雙腳背。

3 吸氣，頭上仰，雙腳用力踢高，吐氣身體往左側，側倒地上，停留做深呼吸。

4 吸氣身體回正，再換邊，側倒右邊，停留做深呼吸。

5 緩慢還原，調息。

效果：①增加抵抗力，促進血液循環暢通。②消除大腿贅肉，美化臀部曲線。③柔軟腰部、肩部、手臂，防五十肩。④腹部也因按壓能消脹氣防便秘。

注意事項：初學者可能因肩膀僵硬而無法在雙手抓住雙

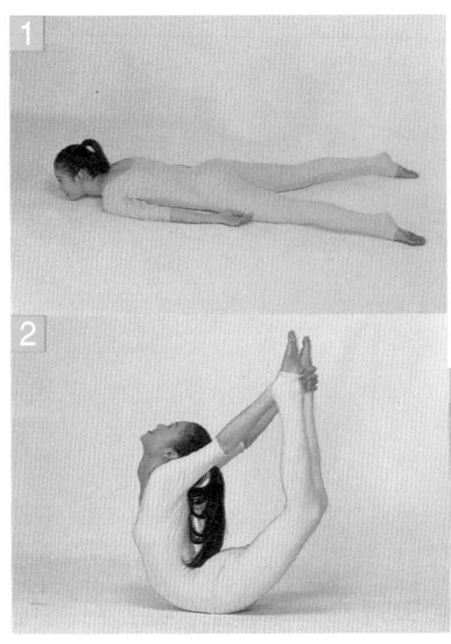

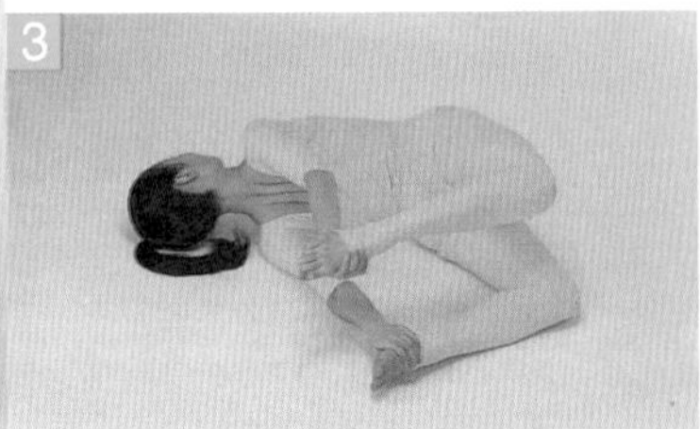

腳板時將雙腿踢高，但不必擔心，只要用力感受肌肉緊實效果即出現，同時側倒時，肩膀亦會酸痛，在可忍受的程度內做停留，千萬別過度勉強自己。

經絡穴位：此動作屬全身性之動作可暢通手太陰心經，腳部可暢通足太陰脾經，因經常鍛鍊使全身氣血循環良好，活絡筋骨。

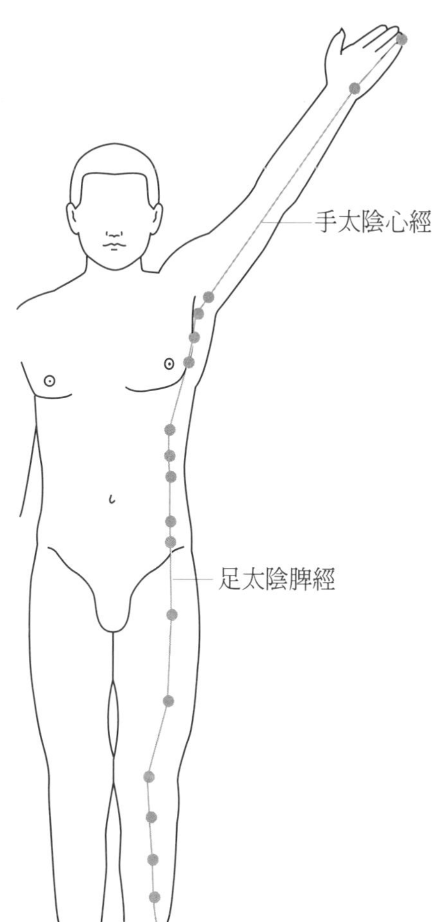

您的體質虛弱嗎？

親愛的！我把身體變強壯了！

強壯的體魄靠的是鍛鍊，要把身體變強壯首先就要問問自己是不是過著健康的生活，是不是養成良好的生活習慣，且放棄不良的生活習性？從平常的生活習慣測試一下自己合乎健康標準嗎？

☆我抽菸嗎？

☆我的飲食正常嗎？

☆我有沒有超重？

☆我是否承受巨大的壓力？

☆我是否經常運動？

您是不是有哪些需要改善的健康習慣呢？其實健康是花錢買不到的，但卻是可以掌握的！如何將虛弱體質變強壯其實也不神奇，只要您留意下列幾點：

1.態度：首先您必須樂於對自己的健康負責，有追求健康生活的強烈意願。

2.飲食：均衡節制的飲食能增進您的健康，並控制您的體重。

3.抽菸：不抽菸能減少罹患肺癌、膀胱癌及心臟病。

4.睡眠：每天七～八小時的睡眠，能讓您第二天倍覺精神奕奕。

5.壓力：隨時提醒自己控制情緒，紓解壓力，以更大的韌性克服身心各方面所遭遇到的問題。

6.運動：維持規律的運動可促進您的心肺功能正常，也能幫助您放鬆自己以承受更大的生活壓力，同時要改善虛弱體質的不二法門是持之以恆的運動，也是身體健康的最大保證。

瑜伽是一項很生活化的養身之道，其精髓在於著重呼吸的調息。讓身心達到穩定調和、安祥，並藉由柔軟、輕鬆易做、舒適的瑜伽動作，在體內產生循環與新陳代謝的功能，讓虛弱的體質、煩悶的情緒一掃而空，進而紓解壓力使身心在不斷地調理下，獲得充分的健康。

適當的練習瑜伽來保持運動量，可使肌肉結實、強化心肺功能、促進血液循環、增強體力和耐力，讓您感到精力充沛、神采奕奕。瑜伽動作中的烏鴉式及蜥蜴式，對體質虛弱的人而言可幫助其鍛鍊出強壯的體質，在此亦叮嚀讀者練習前多一分準備，少一分傷害！

☆如果您超過三十五歲，或者以前很少運動，或有特別的病症，請在執行運動計畫前先徵詢醫師及專家的意見與指導。

☆不要在餓或飽食後運動。

☆在開始練習前五分鐘應先暖身，激烈運動之後仍要繼續做些舒緩的活動及深呼吸再慢慢停止。

☆逐漸增加運動量和運動時間，不要操之過急，更不要一曝十寒沒有耐心。

謹記以上注意事項並加以鍛鍊，相信不久之後您一定可以大聲地說：「親愛的，我把身體變強壯了！」

烏鴉式

做法：

1 跪坐，做深呼吸。

2 雙手於前方地板，用手掌撐穩，雙腳打開將腳移靠近

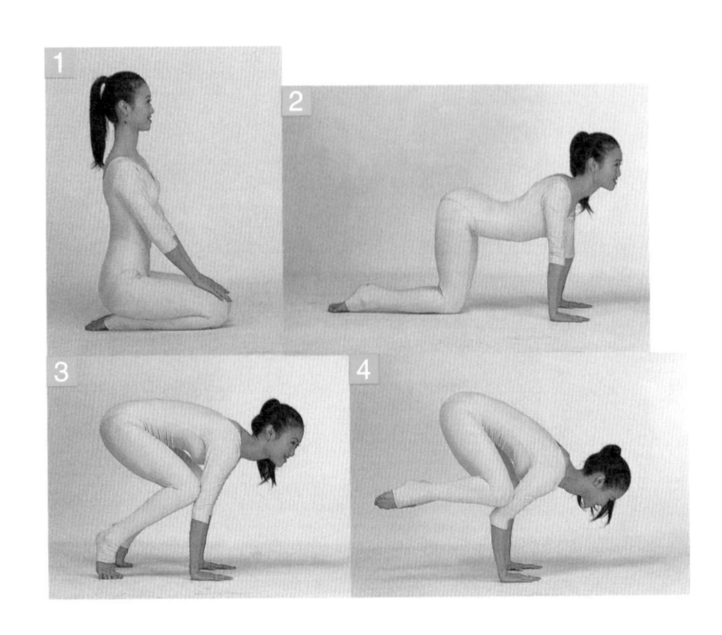

雙手肘處。

3 將雙膝蓋置於手肘處。

4 雙腳腳尖離地，重心置於雙手上，停留數秒做深呼吸（亦可將頭著地使頭頂頂地而達按壓頭頂之穴位）。

5 還原，調息。

效果：①此姿勢的優點在增加頭部之刺激及雙手、腹部之力。②影響全身脊椎而有改善虛弱體質的功效。③可緊縮頭蓋骨使頭部血行良好，預防頭痛、頭昏。④刺激延髓和脊髓來提高自律神經平衡維持力。⑤常練習可防止老化，保持青春。

注意事項：初學者，手臂力氣不夠，抓不到身體重心而無法使動作完成時雙腳尖離地，不必勉強，只要重心儘量完全置於雙手及頭頸部，即可達刺激點而達到療效。

經絡穴位：可刺激頭頂之前頭肌及頭頂上之穴位而達到療效。

前頂
囟會
上星
神庭

蜥蜴式

做法：

1 趴在地上做深呼吸。

2 手臂彎曲，手置於胸側，手掌壓著地板。雙腳分開約與肩同寬，腳尖著地。

3 吐氣，讓身體離地約六～七公分左右，用雙手及雙腳尖支撐身體，停留數秒，做深呼吸。

4 吸氣，再接著將全身緩慢向前方移動，腳背著地，停留數秒，做深呼吸。

5 還原，調息。

效果：①可強化手腳力氣，促進末稍血液循環。②改善虛弱體質，增強抵抗力。③預防手腳冰冷及抽筋現象。④預防關節風濕症及手指麻痺疼痛現象。

注意事項：當動作完成時，全神貫注於腳，盡自己能力施用力氣，將身體撐住，保持身體離地，停留做深呼吸。剛開始練習及身體較虛弱之人，可慢慢增加停留的時間，可由停留五秒漸進增加爲八秒……依此類推，初次練習即使只能停一秒鐘也別氣餒，只要勤練，身體強壯了自然體力好可做久一點的時間。

經絡穴位：當此動作完成後之著地用力處，即爲身體經絡穴脈之刺激點，可刺激神門穴、少府穴及湧泉穴，而達預防關節風濕症及手腳麻痺、疼痛現象，並可預防高血壓。

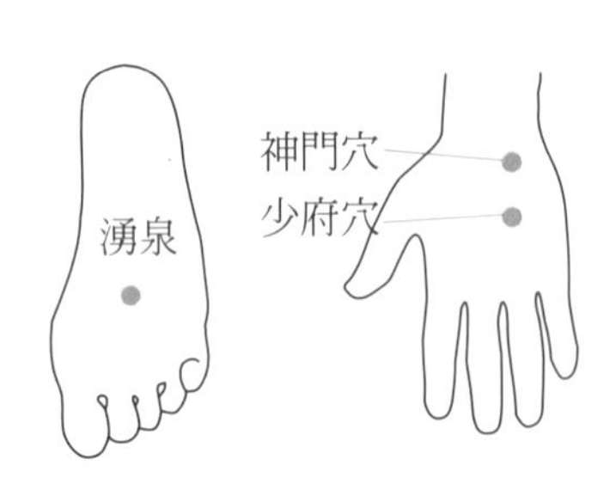

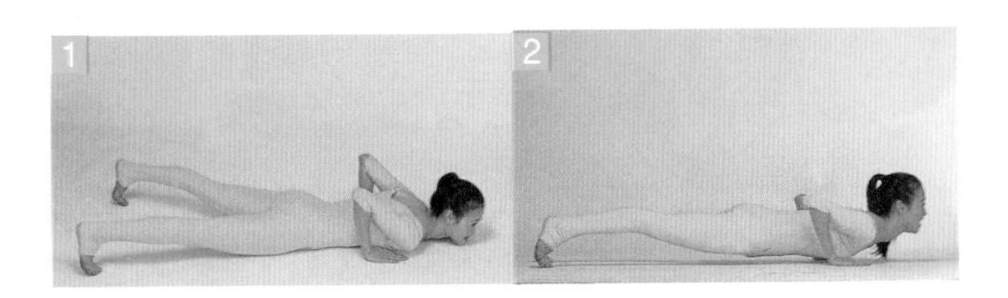

您無法集中注意力嗎？

瑜伽為您的注意力集中加分

生活充滿變數，每一項變數都會爲個人帶來壓力，適度的壓力是進步的能源，過度的壓力往往造成心理和生理的負擔，就算是精力充沛的人，也難以面面俱到，長期處於如此的生活狀態，您可能會馬上驚覺身體的一些症狀，如整日慌張不安、無法集中精神、惶恐失措、心悸、胸悶、頭暈、眼花、手腳無力，好像被鬥敗的公雞，狀況似乎接二連三出現，這些狀況出現的原因，來自於日積月累缺乏積極亮麗的生活觀、終日忙碌晨昏顛倒、作息恆律不定忙亂有餘、運動與休息不足傷損臟腑，虧損日久所造成。

所以有人說疾病是由身心的緊張和疲勞而起並不爲過，如果您現在時常感到精神不振、注意力不能集中，這就是一個警訊在告訴您，生活作息已經亮起紅燈，而簡單有效的改善及調整方式，即是以瑜伽各種訓練法的鍛鍊，來使我們身心的緊張和寬鬆達成高度平衡，以紓解生活所引起的緊張、焦慮，進而使身心得到平衡與調和，並且強化身體各部分的功能，也能提高身體的適應性，使注意力能集中並預防慢性病的產生。

山立式

做法：

1 坐正，腰背挺直，做深呼吸。

2 左腳板拉上來置於右大腿上，右腳板拉上來置於左大腿上，成盤坐（蓮花坐勢）。

3 吸氣，雙手往上伸直，並儘量將手掌打開，手指亦打開，但雙手拇指互頂，停留做深呼吸。

4 還原，腳換邊盤坐再做一回。

效果：①可增加毅力、耐力與注意力。②強化膝關節，促進末稍血液循環。③預防內分泌失調、美化雙手臂線條。

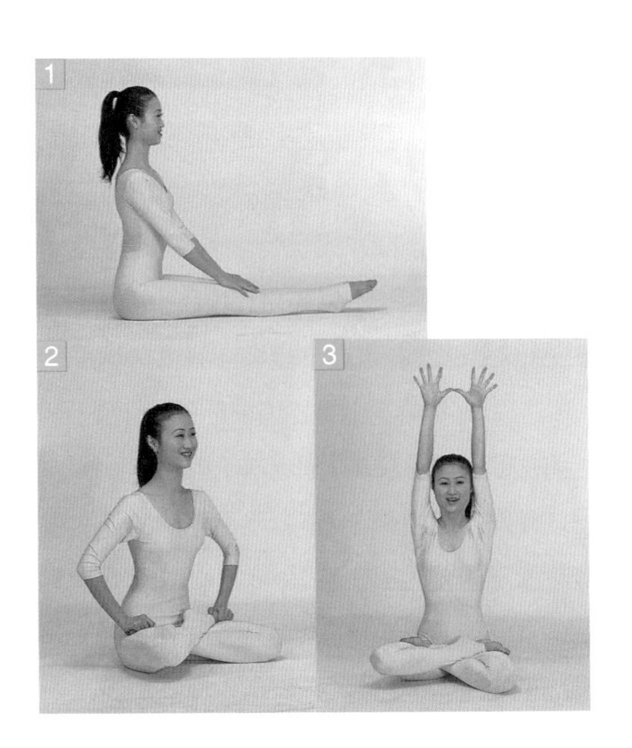

④預防手腳麻痺及冰冷現象。

注意事項：此動作若無法盤坐練習，可半盤，即只要一腳板拉到大腿上，另一腳放鬆收靠近身體即可，練習時亦將雙手不斷用力向上伸直且手掌、手指用力撐開效果才會好。

經絡穴位：腿的盤坐對下半身足部各陰經陽經均達按壓之效，雙手用力撐開，即伸直又用力均有助手部陰陽經之暢通來達血液循環之通暢。同時經絡活絡下必定精神氣爽，注意力必定能集中。

鷺鳥式

做法：

1 坐正，做深呼吸。

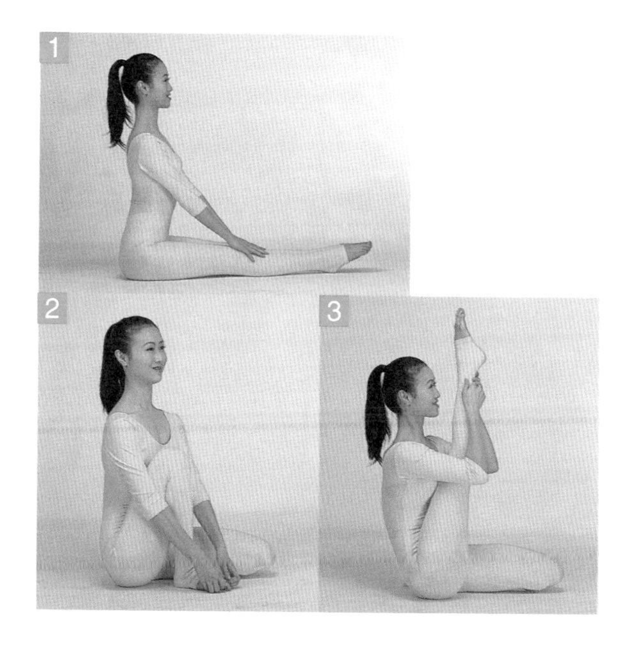

2 左腳外翻，腳板拉靠近臀部，右腳彎曲，雙手抓住右腳板。

3 吸氣，將右腳舉起，吐氣緩慢將右腳拉靠近身體，腰背挺直，停留數秒做深呼吸。

4 還原，換腳做一回。

效果：①強化膝關節，增加腿部筋骨彈性消除腿腫脹。②調整骨盆預防生理期失調。③美化腿部曲線，訓練平衡感及集中力。④促進下半身血液循環增強體力。

注意事項：腿筋彈性不好者，初期練此動作必定無法如圖所示將腿貼近身體，只要將伸直之腿伸直感到腿筋拉到緊實即有效果，切勿勉強而拉傷筋骨。

經絡穴位：此動作對足部之足陽明胃經、足太陰脾經均

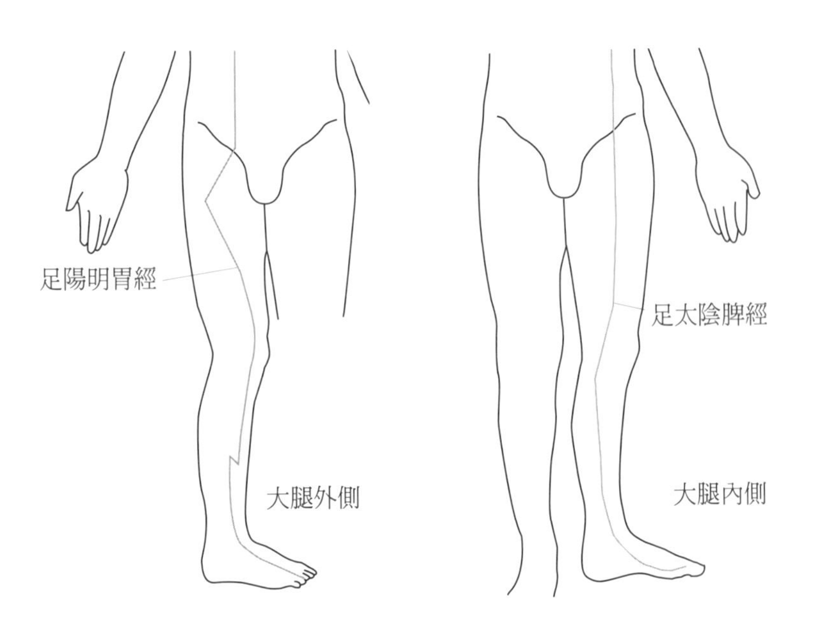

有伸展舒通之功效，亦可使下半身血行運行通暢，防止下半身肥胖及增進膝關節、踝關節、骨關節之靈活性。

您易緊張、疲勞嗎？

緊張、疲勞——源自壓力

「壓力」以專業性語彙解釋，是因寒冷、外傷、疾病、精神性緊張等因素，導致身體內非特異性的防禦反應；換言之，當受到刺激時，人體之腦下垂體分泌副腎荷爾蒙，無法使身體各器官有效防禦，防禦系統遭破壞，身體就容易生病，諸如焦躁、憂鬱、疲倦、不安等症狀也會因之接踵而至，所以，壓力似乎是人在日常生活中皆會遇上的問題。

適度的壓力可發揮自身的抵抗力與恢復力，可造就樂在其中的成就感，反之，過度的壓力便會帶來副作用，引起緊張、憂鬱、疲勞等身心俱疲的不安全感，因此，當過度的壓力來襲，藉由瑜伽一系列的放鬆訓練，可使緊張過度的狀態透過自我規律的身心調息方式，幫助壓力患者有效紓解。

在此介紹兩個瑜伽體位法，心曠神怡式及猴王式，以最自然的身體來做此二動作，配合深呼吸，達到開達（舒筋活血）、抑節（抑制疾病）之功效，亦是協助紓解壓力、緊張、憂鬱的最佳之自然療法。

心曠神怡式

做法：

1 跪坐，腰背挺直，做深呼吸。

2 跪立，雙膝打開約同肩寬，雙腳腳尖墊起。

3 吸氣，臀部緩慢坐回地上，吐氣，雙手於胸前合掌，停留數秒，做深呼吸。

4 還原，放鬆雙腳，調息。

效果：①可調整骨盆，強化膝關節、踝關節，防腿抽筋。②配合深呼吸可達定神、紓解疲勞及壓力之功效。③心

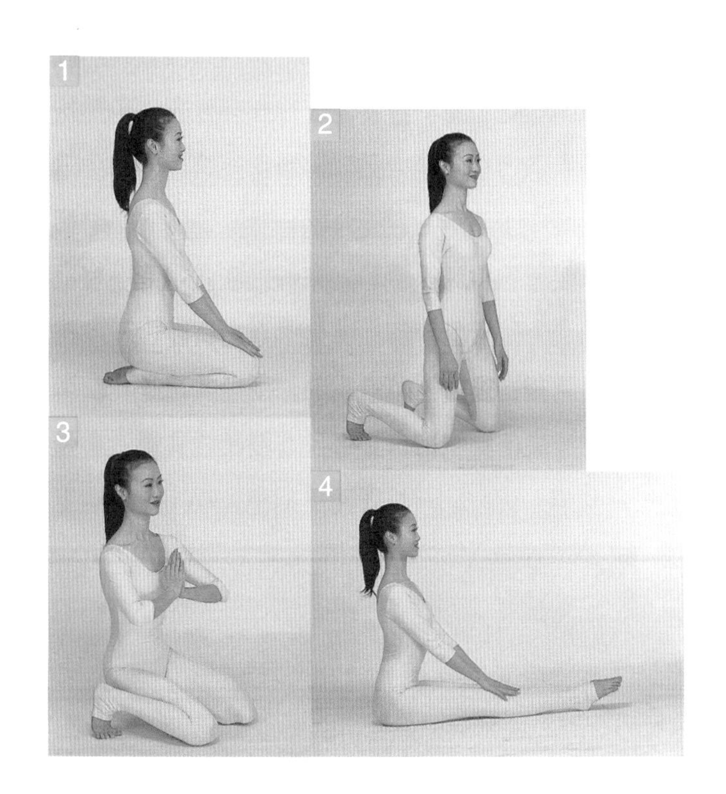

浮氣躁者宜多練此式。

注意事項：初學者或中年以上的朋友練此式時必須特別注意，可能因膝關節的僵硬而無法使您在姿勢完成時將臀部坐回地上，切記不可勉強，重點不在臀部一定要坐在地上，而是腿部、膝部有刺激感即達效果。

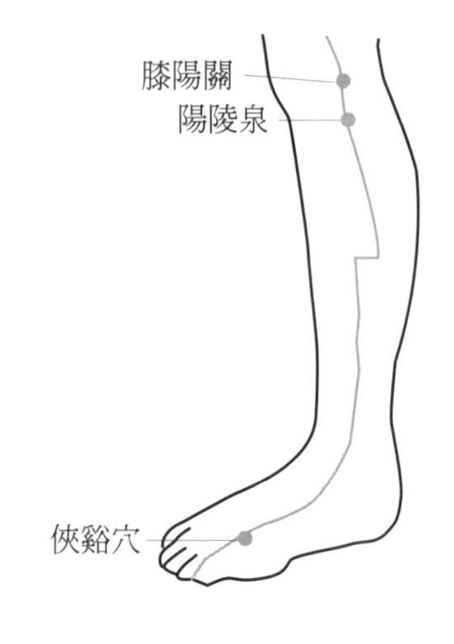

經絡穴位：此式強烈刺激下半身而使足部各經絡及穴位達按壓與疏通之功效，讓效果更切實。

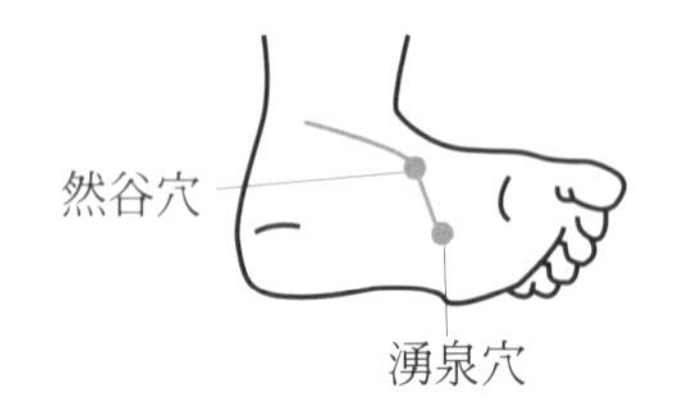

猴王式

做法：

1 坐正，挺直腰背，做深呼吸。

2 吸氣，雙腳前後劈腿，吐氣坐正。

3 吸氣，雙手左右拉開，手掌推出，吐氣停留數秒，做深呼吸。

4 還原，換腳做。

效果：①可修長腿部線條，調整骨盤。②促進血液循環、消除疲勞、解除緊張與憂鬱。③可緊實手腳的肌肉增加筋骨彈性。

注意事項：練習此式時精神要專注，呼吸儘量做深長的腹式呼吸，同時雙手用力推開手掌手指盡力撐開直到還原才放鬆，在此特別叮嚀初學者無法劈腿坐地上可將前腿彎曲，勿勉強。

經絡穴位：此式對下半身的刺激較為顯著，可疏通足部各經絡，而特別在此提到手部，因極力外推，可促進手部經絡血氣之運行亦可達鎮定之功效，練習時可意念置放掌心處。

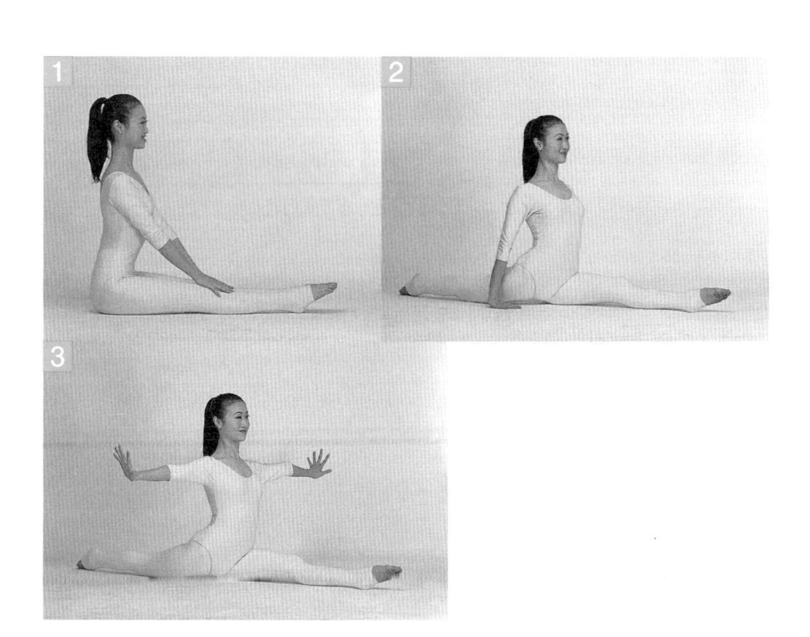

您無法紓解憂鬱、放鬆心情嗎？

紓解心愁與憂鬱的妙方

人生自古即有生離死別七情六慾，也正因為有了這些，才會有悲歡離合困擾人心，如何釋放自己紓解心愁與憂鬱，見人見智。

有人認為，當壓力超過負荷時，應放下手邊工作，到郊外原野舒緩一下；有的人則認為與人聊天是紓解壓力最簡單而快速的方法；另外要特別推薦做瑜伽的體位法亦是紓解壓力的妙方——藉由瑜伽的體位法進入身體裡，專注的呼吸及體會身體因做動作而引起之刺激、按壓、緊繃、放鬆……之種種伸展與放鬆的舒暢感，在暫時忘卻壓力的同時，讓身體能趁機舒緩，活動活動全身筋骨，及配合深呼吸還可促進血液循環，讓全身細胞活化，增強紓解壓力的能力。

在此瑜伽天地裡，我們可介紹三個動作讓大家輕鬆愉悅的去享受。

射手式

做法：

1 坐正，調息。

2 吸氣，左腳向左邊拉開，右腳，腳跟拉靠近會陰，吐

氣。

3 吸氣，右手向上伸直，吐氣，緩緩向左側。

4 雙手同時抓左腳板，停留數秒，做深呼吸。

5 還原，換邊做。

效果：①當動作完成後，將意識力完全集中在自己的呼吸韻律，做很緩慢及深長的呼吸有助心情平靜，心靈愉悅。②紓解壓力，慢慢去體會身體的刺激點，由手臂到脇腹，直到側臀均有伸展感。③消除脇腹、手臂多餘贅肉，美化身體線條。④因後側腿筋之伸展刺激除美化腿型外，可治坐骨神經痛。⑤預防膝關節痛，下肢運動障礙，並可矯正椎脊不正。

注意事項：練習此式之重點在側脇部，手臂及腿部的伸

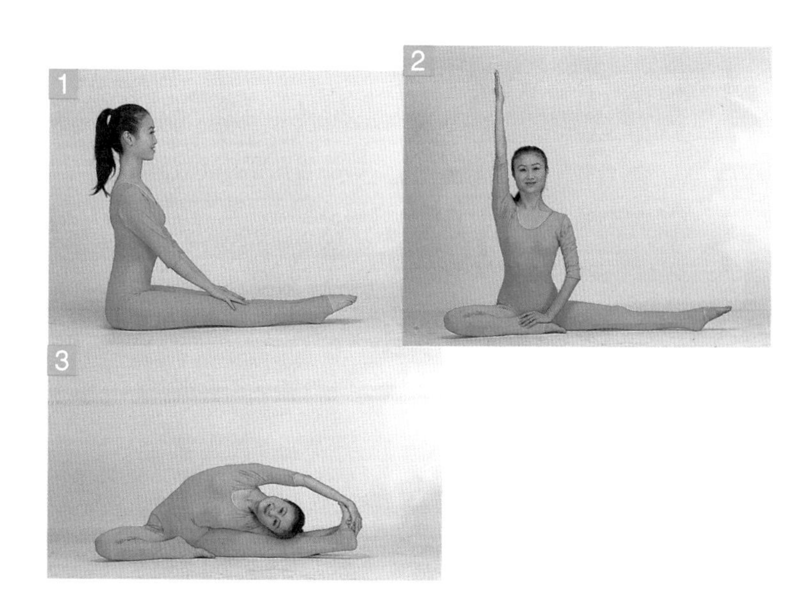

展如果柔軟度不夠，可將伸直向上的手用力伸直，雙手不必勉強去抓腳跟，只要側彎到您的極限，身體有感到伸展即可達效果，絕不要勉強自己。

經絡穴位：此姿勢可伸展到足太陽膀胱經、手少陰心經及手太陽小腸經，而使各種效果更顯著。

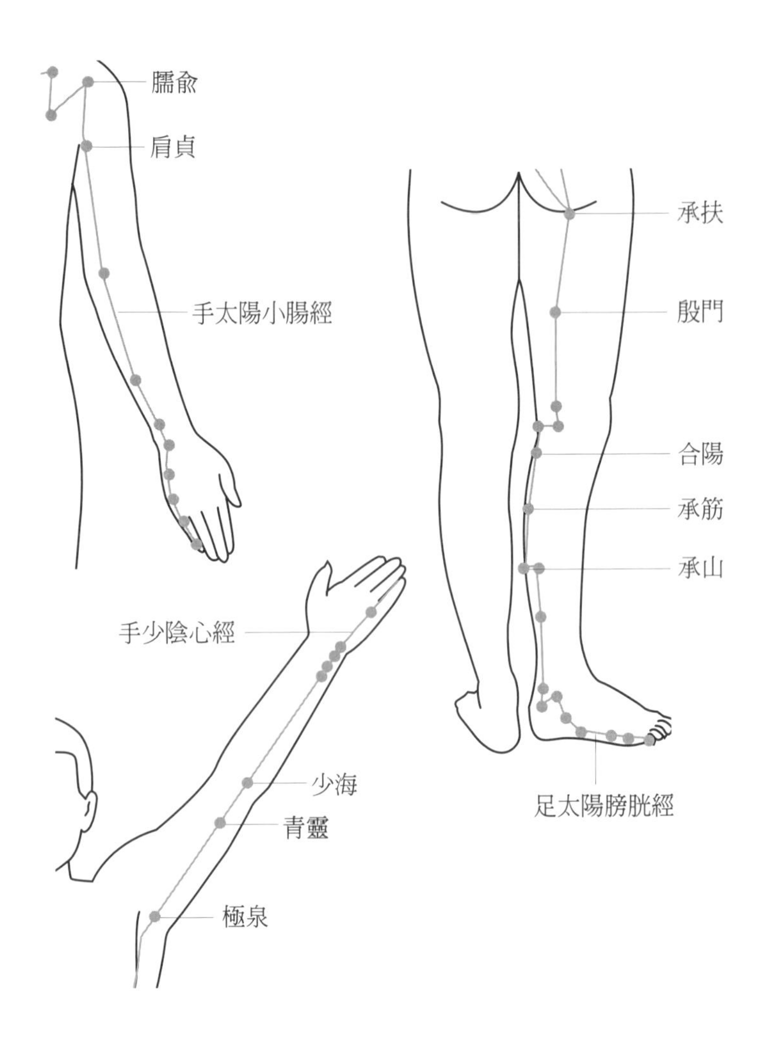

攤屍式

做法：

1 平躺在地板上。

2 雙腳打開與肩同寬，甚至再寬些亦可，使雙腳能放鬆的角度即可。

3 雙手掌心朝上，放身體二側。

4 閉目，做深呼吸。

效果：①消除緊張，使人清爽。②解除壓力與疲勞。③舒緩做其他瑜伽體位法之緊張與疲勞。④躺下來可使緊張消除後，血液就會到達內臟的每一個角落，使人倍感舒服。

注意事項：此動作從字面上即可得知身體如同屍體般的放鬆躺著，但並非完全不動，必須用意念去想身體，並配合腹式呼吸法把身體由腳緩慢到頭頂感到全放鬆了，如能徹底做此式約三、五分鐘就如同睡了三、五小時般，疲勞感會大部分消失。

經絡穴位：此式可完全讓身體各穴脈、經絡達到深層的放鬆與平衡，同時可讓所有五腑內臟完全的舒緩休息，以利功能再生，尤其僵硬人士，更需靠此放鬆來達疏解之功效。

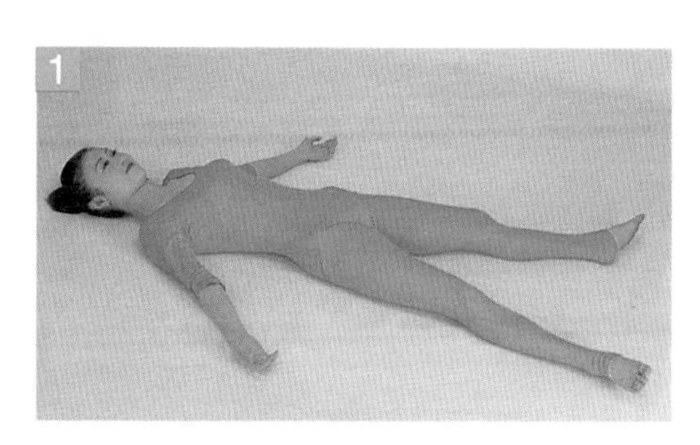

牛臉式

做法：

1 坐正，做深呼吸。

2 雙膝彎曲，左腳下右腳上，腳交叉膝蓋上下相疊，左手由上方繞過背後，與右手在背後互握，停留數秒做深呼吸。

3 還原，調息。

4 換腳、換手再做一次。

效果：①預防失眠解除疲勞與壓力。②纖細手臂防五十肩及肩頸僵硬。③增加骨盆與膝關節的彈性。

注意事項：雙腳交叉疊做，若膝蓋疼痛停留時間勿勉強過久，此外雙手於背後互握，若無法互握可使用毛巾代替，以雙手互拉毛巾，待一段日子的練習後，肩部柔軟開後即可輕鬆互握，勿操之過急。

經絡穴位：手部的伸展很徹底可刺激手內側之手少陰心經。

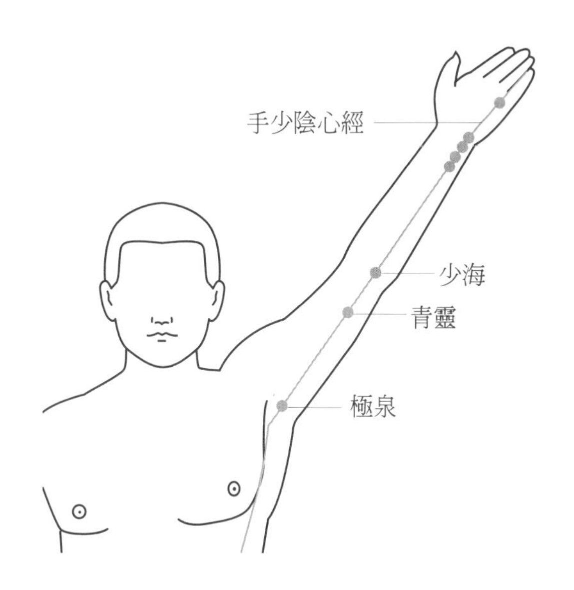

您無法掌握自己的情緒、心浮氣躁嗎？

掌控情緒才能真自在

七情六慾，人皆有之，有的人能處之泰然，可是有些人卻無從理解，粗糙狂暴的撒野，或許能逞一時之快，但事後卻必須花上更多的功夫來收拾爛攤子，何苦來哉？「忍一時風平浪靜，退一步海闊天空」，古人之告誡不正是如此的道理嗎？人之相處應對，何謂得體與失禮，相信道德與修養將會是情緒控制的最好背景。

「修身齊家治國平天下」，欲成大志，必先修身養性，而後方能有所做爲，情緒之控制是何等重要，觀照察覺自己的情緒就如同檢視身上的病痛一般重要，若無法掌控自己的情緒，請多做瑜伽的深呼吸法，靜心地與自己的情緒溝通、自我協調，也可運用瑜伽體位法的練習以掌握自己的情緒，不妨試試下面兩個動作。

金剛坐姿

做法：

1 跪坐，腰背挺直。

2 臀部坐在腳底處，腳跟外開，腳拇趾相疊。

3 雙手輕鬆放於大腿上，雙肩亦放鬆。

4 閉目，做深呼吸。

效果：①幫助消化。②排除脹氣。③預防坐骨神經痛。④穩定情緒。

注意事項：金剛坐姿爲所有練習的起始姿勢，可加強雙腳和雙腿的力量，改善腹腔和盆腔中器官的血液流通，靜脈病患者，膝和腳踝關節受傷的人不宜練習此姿勢。練習過程中應把身體的重量平均分配在雙臂和雙腿上，同時使您的臀部下降讓它剛好坐在用雙腳組成的凹槽中。

經絡穴位：此動作對下半身之刺激顯著，因此可促進足太陽膀胱經、足厥陰肝經及足少陽膽經、足陽明胃經、足太陰脾經之疏通功效，使效果更佳。

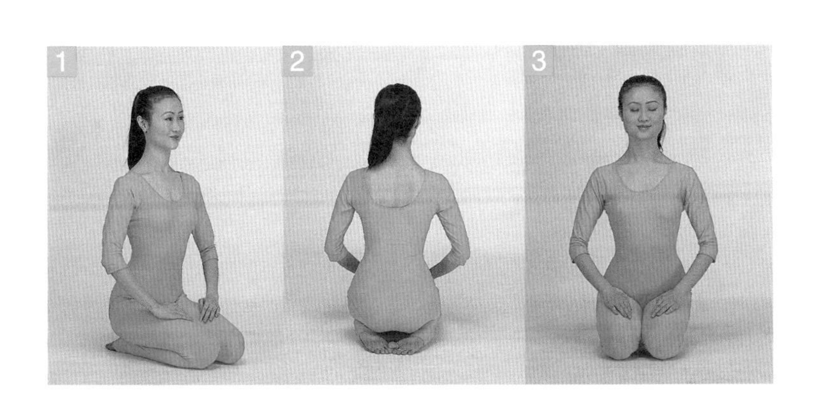

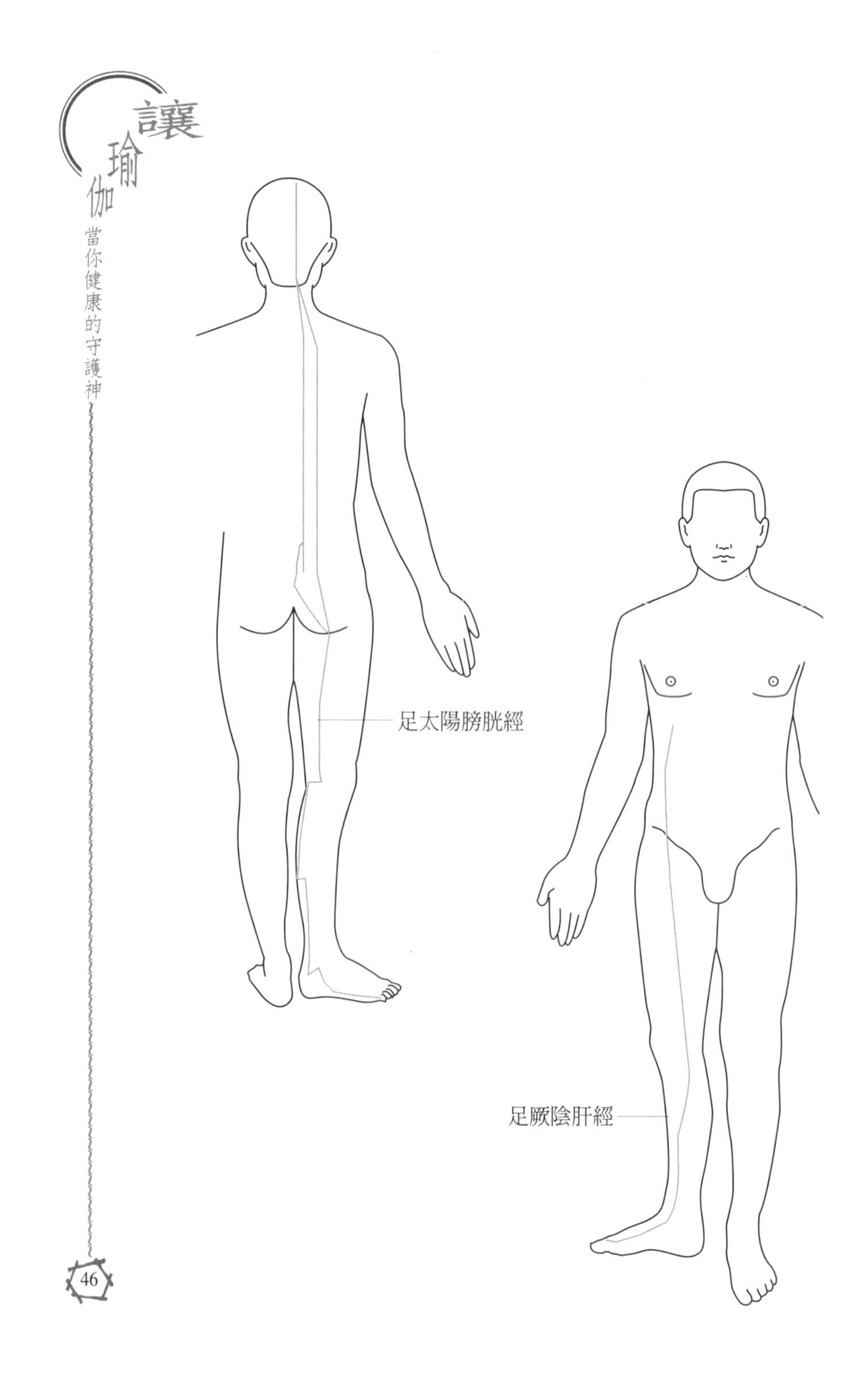
足太陽膀胱經
足厥陰肝經

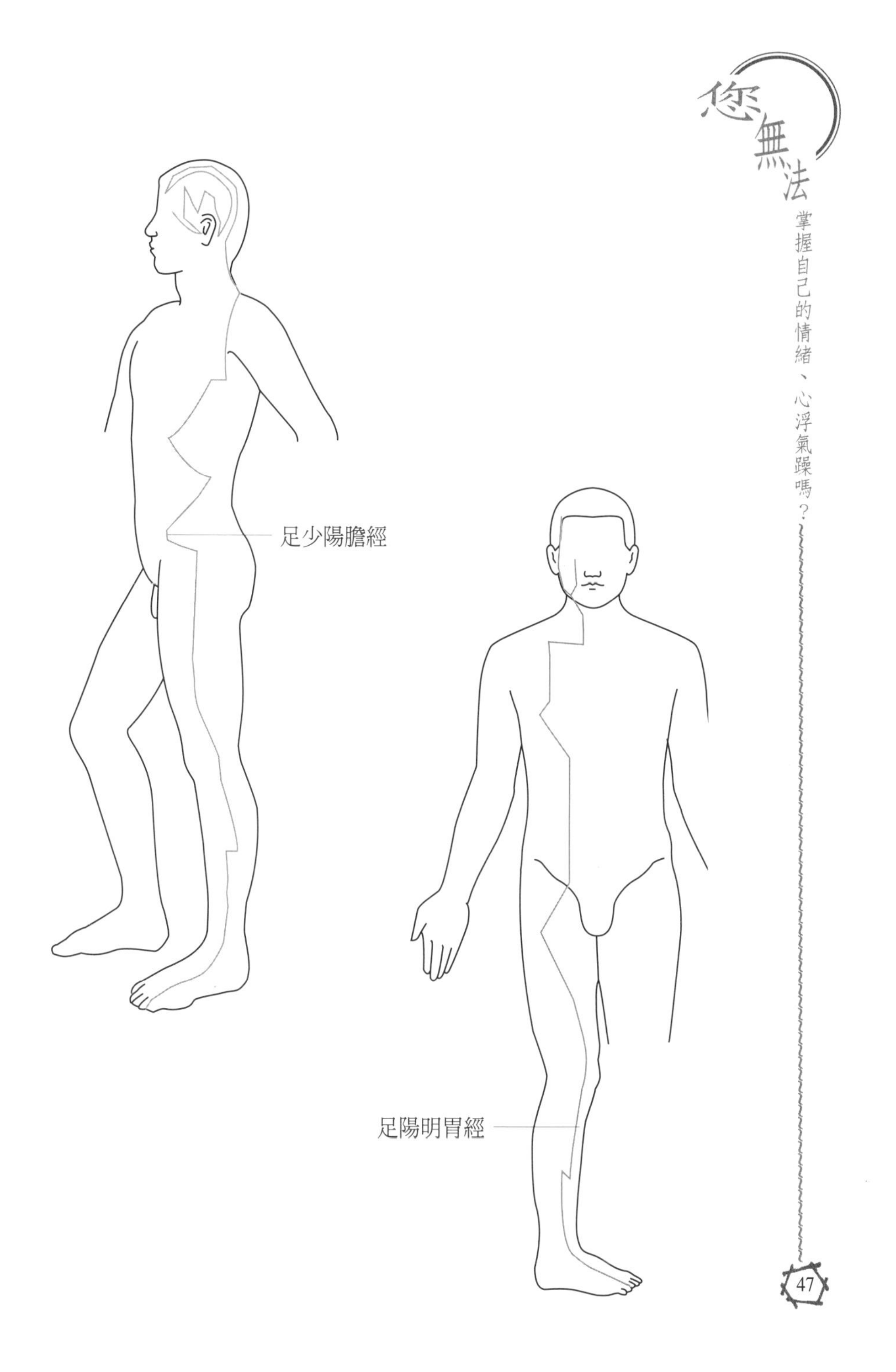
足少陽膽經
足陽明胃經

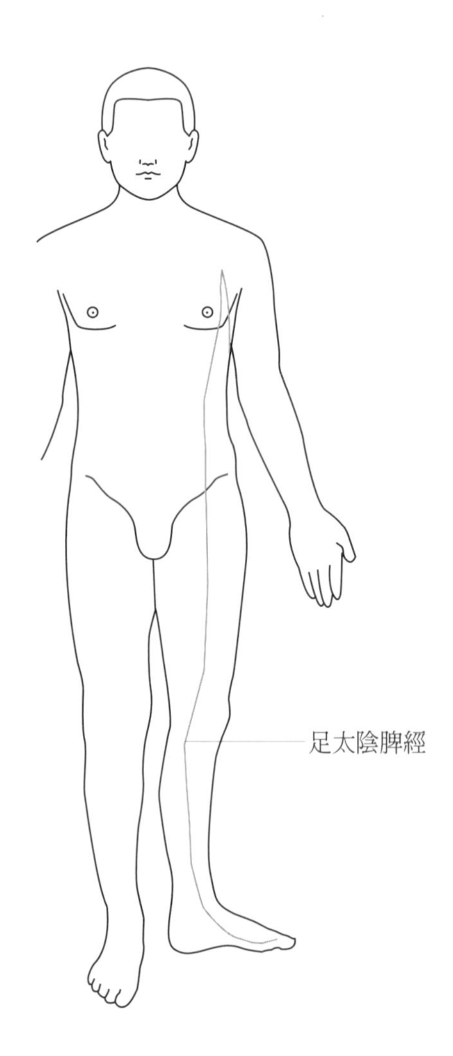
足太陰脾經

蓮花坐姿

做法：

1 坐正，兩腳並攏伸直。

2 彎曲左膝，將左腳背放在右大腿上。

3 再彎曲右膝，將右腳背放在左大腿上。

4 兩膝儘量貼地。

5 雙手放在兩膝蓋上，拇指和食指結成圓形，其他手指伸直。

6 伸直背椎，放鬆兩肩和背部。

7 行腹式呼吸。

效果：①可穩定情緒，增加自信心。②可得精神和肉體的統一。③可獲得心靈的安靜。

注意事項：蓮花坐是瑜伽的基本坐法，是靜坐的姿勢。練習瑜伽體位法，必須首先使自己的身體健壯，要有好的靜坐，必須不爲身體的不適所困擾。開始練習時，有些人不能

完全盤起雙腿，可先以半蓮花來施行，假以時日必能做到。

經絡穴位：蓮花坐與金剛坐姿均屬下半身之刺激顯著，因此可促進下列各經絡之疏通使效果更佳，刺激疏通之經絡含足太陽膀胱經、足厥陰肝經及足少陽膽經、足陽明胃經、足太陰脾經（請參照金剛坐姿之經絡穴位圖）。

您是一個沒有自信心的人嗎？

強化自我精神和肉體力量找回自信心

自信之擁有首先須強化自我的精神，若要消除怯場心裡就必須斬斷束縛自己的恐懼感，找一個安靜的地方多多練習深呼吸，大量的氧氣保證可以使您頭腦清晰，心情放鬆，精神專注的去面對事情，而不會有害羞、恐懼的感覺。當您緊張害怕怯場時，是不是會心跳加快，呼吸也變得急促，相信我，快做個深呼吸您就會有鬆口氣的舒暢感，也就是這個深呼吸，補充大量氧氣可強化自我精神，再配合瑜伽的動作練習，強化肉體力量，有一個健康的身體，婀娜多姿的自信身材，容光煥發的美麗肌膚，加上抖擻的精神，相信您會是自信心十足。

樹木式

做法：

1 站立，做深呼吸。

2 吸氣，左腳背放置右大腿上，吐氣。

3 吸氣，雙手合掌放頭上方，手肘打開，停留數秒，做深呼吸。

4 還原，放鬆、調息，換邊再做一次。

效果：①此動作可專注呼吸，來加強自己的專注力。②掌握自己的身、心、靈，增加自信心。③可由大腿內側的按壓來強化膝蓋、預防月經不順。④預防半身麻痺及大腿神經痛。⑤增加體力及平衡感。

注意事項：當練習此式時，若有重心不穩的情況，可暫作止息，以幫助自己站立得更穩重，之後才緩慢的做深呼吸。眼睛看著一個固定點（與眼睛同樣高度即可）。

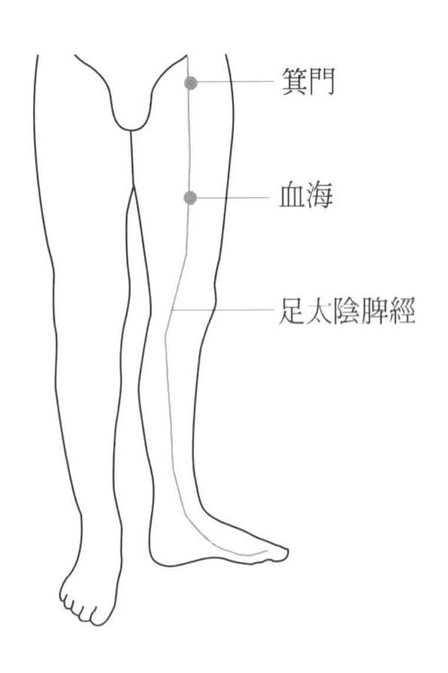

經絡穴位：此姿勢可伸展到大腿深層的內側廣肌及可使大腿動靜脈血液循環良

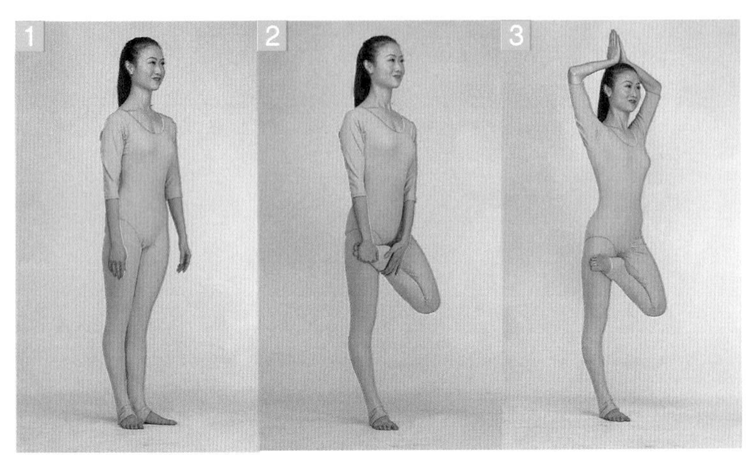

好，及刺激大腿神經，並因腳踝大腿內側可按壓到足太陰脾經上之箕門穴來預防大腿神經痛及半身痲痺；及血海穴可預防膝蓋疼痛、月經不調。

舞蹈式

做法：

1 兩腳並攏站直，做深呼吸。

2 吸氣，左手向前方舉高，吐氣右腳彎曲並以右手抓住右腳背，做深呼吸。

3 吸氣，身體感覺平衡之後，再慢慢將右腳往後拉高，吐氣。停留數秒，做深呼吸。

4 還原，換腳再做一次。

效果：①訓練平衡感，增強集中力與自信心。②緊縮大腿肌肉，消除大腿贅肉。③柔軟腰部、背部肌肉使腰纖細。

④調整骨盤位置強化腎臟功能。

注意事項：此式因單腳獨立，重心自然不穩，若很不穩時可先閉氣一下或腳拇趾用力以利平衡，待身體平衡後才做圖 3 將腳抬高之完成式。

經絡穴位：此式對腿部之刺激如同腳底按摩般對腳掌使力而達刺激之功效，另抬高之腳可用手抓壓在腳底湧泉穴處以按壓湧泉穴而達效果。

您每天憂鬱自己老化嗎？

瑜伽幫您晉升不老林之列

花謝了會再開，太陽下山明朝一樣升起，而人呢？青春一去不復回，沒人能留住它，到了某種年紀就會有某種老態的出現，而今我們唯一可做的是減速老化，美其名留駐青春，其實我們應該接受現實，青春是不會永駐的，萬物皆依循此理，這是老天訂好的遊戲規則，我們無能力去破壞，我們必須接受，是以我們必須努力平時多加保養，有效的去展延老化的到來。在網上看到一個訊息，科學家們研究，人必須活動以加速體內血液的循環，促進新陳代謝，健康美顏將屬於妳，女人平常的睡眠將會多男人一小時，那是爲養顏而睡，每人每天必須睡上八小時才不會笨，午睡一小時可抵晚上三小時。病人躺在床上缺乏運動，一個禮拜之內烏黑頭髮變白，曾有過例子每日花一小時讓自己活動筋骨老化將減緩十年以上，靜態的休息補充體力，動態的運動促進新陳代謝，不足與過之都不好。親愛的讀者，綜合上述茲列出以下幾點，讓我們晉升於不老林的行列。

1.吃——您需要吃得像個原始土人般，回到「大自然」最初擺在我們「餐桌」上的那些原始粗燥食物，勿食

精緻食品。

2.睡──獲得所需足夠睡眠與休息。將回到「安靜時光」列為您最重要的事，經過一整天的活動以及喧囂干擾之後，需要安靜與休息。

3.笑──擺脫怒氣，保持幽默感。回到「樂觀」的態度，每天對每人一大笑除了創造好事外，也能使自己滿懷「年輕」的機會。

4.動──每星期至少從事三次，每次為時六十分鐘持續有恆的「瑜伽術」練習，並把練習瑜伽當成像「吃」與「睡」成為日常生活的一部分，此外可配合防止老化的嚥唾法來練哦！

防止老化的嚥唾法

舌頭在口中攪動，等積很多唾液，再緩緩地分次吞下，不論是坐、站、躺、走路都可以做，持之以恆，可達抗老、健康長壽的功效。再配合瑜伽預防老化之青春式、小鳥式之練習，動作完成時，停留做深呼吸之外配合嚥唾法更可達青春永駐、延遲老化之功效。

青春式（鴿王式）

做法：

1 平伏在地上。

2 兩手放胸部兩旁，慢慢將上半身提起。

3 兩腳彎曲，使其碰到頭部爲止。

4 還原後，請按摩腰部，調息。

效果：①因後仰，下巴直到頸部有伸展之刺激可刺激頸橫神經、大耳廓神經預防喘鳴、咳嗽。②頸椎症也因伸展廣頸肌及胸鎖乳突肌可美化下巴頸部曲線。③美化頸部，預防老化。④腰及腿亦有刺激處，美化腿及強化腰脊，預防腰酸背痛。⑤矯正駝背現象。⑥上身後彎後可按壓腹部，使內臟機能活化，使人返老還童，青春活力不減。

注意事項：此動作重點在頸部之伸展、腰背之刺激，只要這些部位依您自己柔軟的範圍練習，如果還無法將頭後仰與腳足相觸，不可勉強爲之，身體只要練習時，在刺激點處有感覺，則表示已達效果了，請以漸進方式練習勿操之過急。

經絡穴位：此青春式可刺激頸部、腰部、腿部各經脈，如圖之穴位，使效果更好。

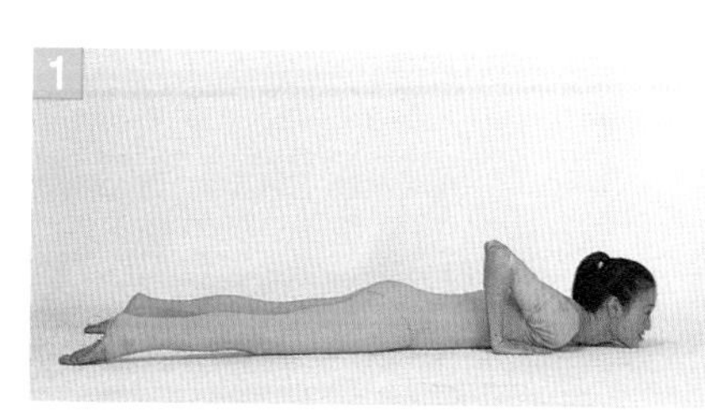

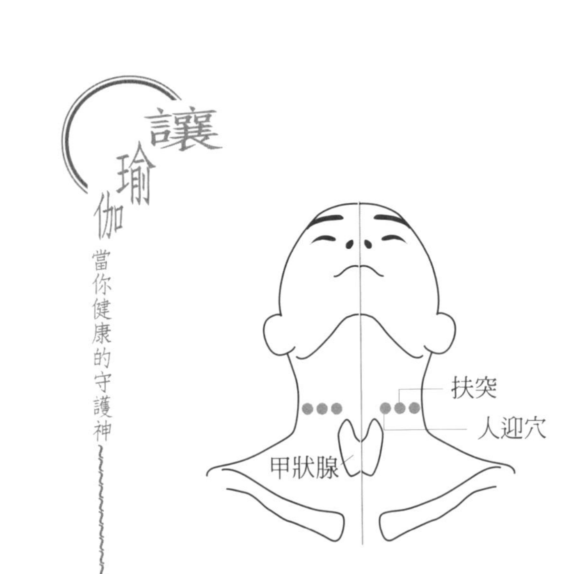

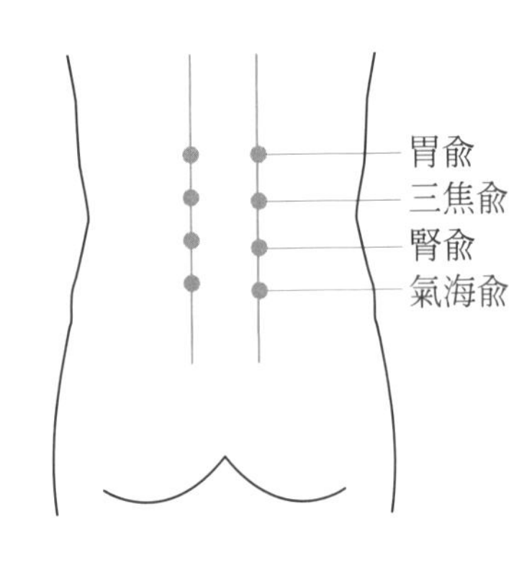

小鳥式

做法：

1 雙膝併攏跪立地上，雙手打開同肩寬度，撐著身體，做深呼吸。

2 吸氣，臀部蹺高感，手肘彎曲，吐氣讓胸部貼地，雙手放在胸部兩旁。

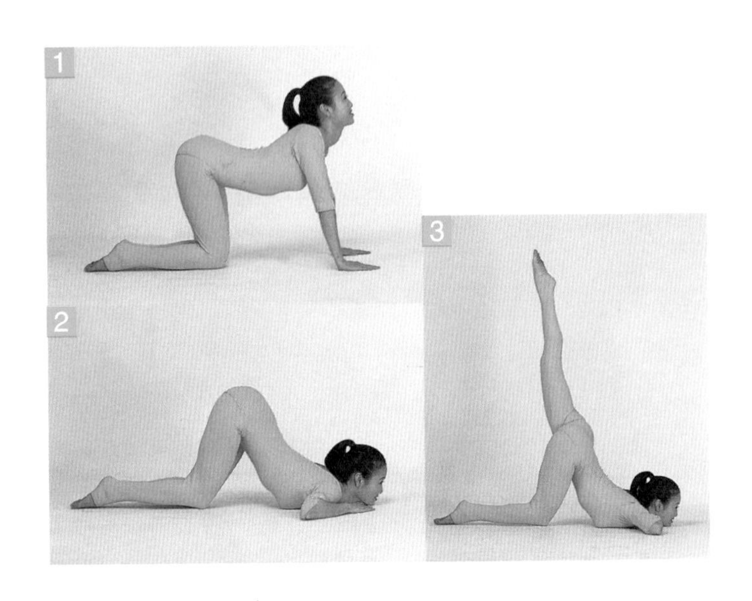

3 吸氣，右腳慢慢往上舉，吐氣右腳儘量伸直，停留數秒，做深呼吸。

4 右腳慢慢還原，換腳往上舉，停留做深呼吸。

5 慢慢還原，做大休息式，放鬆調息。

效果：①此動作完成後，腿因舉高可將腿部肌肉緊收預防鬆弛，可美化腿部、臀部曲線。②因胸部、下巴及腰、膝均為刺激點，可達預防腰酸背痛。③預防膝關節退化、預防坐骨神經痛。④強化氣管，預防感冒。⑤促進血液循環，可活潑內臟各機能，使活力充沛，青春美麗不老化。

注意事項：練習時請在動作完成後，多停留一下，以順暢的呼吸去體會身體的各刺激點，效果將會更好，如以此姿勢想達到美臀之效果，則腿盡力舉高，而須注意舉上來之腿，膝蓋絕對不能彎曲，效果才會顯明。而若保持膝蓋伸直而感到腿舉不高，則不必灰心，多練習會進步的。

經絡穴位：此動作刺激到胸口、下巴、腰、膝及雙腿，如圖之穴位均可達到刺激之效而使經絡更順暢，效果更佳。

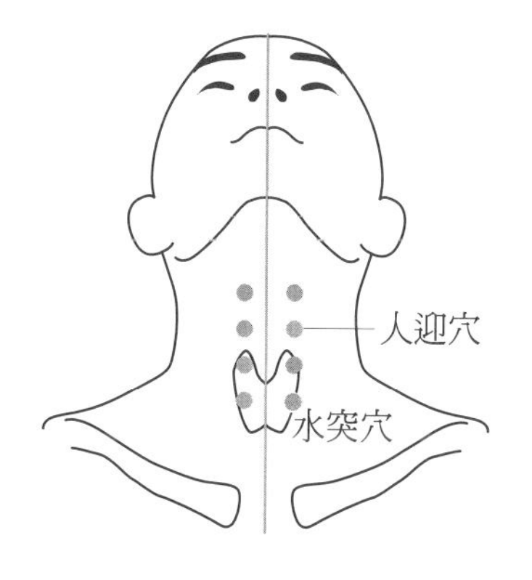

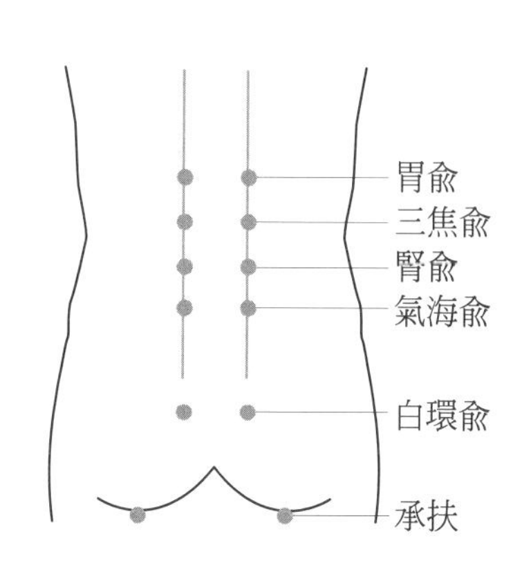

您爲內臟下垂擔心嗎？

瑜伽請下垂的內臟回位了！

或拜超音波診斷儀的發明，人們方知有此種病變的預警，感謝天感謝地，可也得感謝自己的有恆，方能及時預防校正，脫離病魔的侵襲。

有下列情況和性格的人，是罹患內臟下垂的高危險群：

1.體質較弱、體力較差的人。

2.體弱且身材高䠷的中年婦女。

3.長期從事站立工作者。

4.腹部動過手術者。

5.神經質、情緒化或自律神經失調的人。

6.經常暴飲暴食的人。

7.多產婦女。

8.老年人。

內臟下垂雖然不算是一種嚴重疾病，但卻會影響內臟及胃腸功能，產生一些不適症狀，或使患者精神不安、緊張，誤以爲得了重病。內臟多半是藉由胃連接食道，並藉此懸吊在上腹腔，四周還有肝胃韌帶、脾胃韌帶等幾條由腹膜形成的韌帶，將內臟固定而不致搖擺，而要防犯內臟下垂必須注

意平常的生活及飲食習慣，平時不宜做劇烈運動和長時間站立，每天起床和入睡之前做仰臥起坐、伏地挺身等運動，隨時多練瑜伽的體位法，可增加腹肌的張力及腹壓，來預防內臟下垂，並請下垂的內臟回位。

牛面變化式

做法：

1 跪坐（金剛坐），做深呼吸。

2 雙手置前方地板，將左腳跨過右膝蓋相疊。

3 雙手緩慢離地，將腰背挺直。

4 身體微向右轉後，右手抓右邊之腳跟，左手抱頭，左手肘儘量後拉之感覺，停留數秒做深呼吸。

5 還原，調息。

效果：①增加平衡感，預防內臟下垂。②促進血液循環

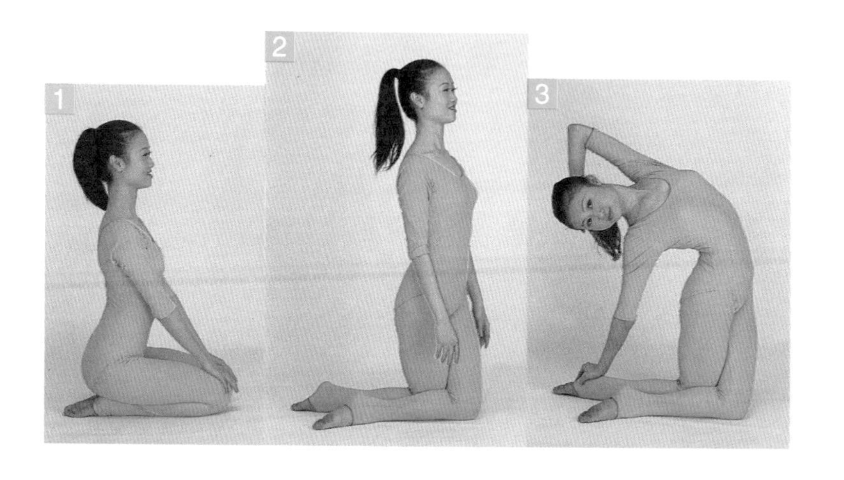

使內臟有活力。③提升精神與朝氣，同時也因背椎兩側的按摩與刺激可達神清氣爽。④有強化身體之功效。

注意事項：當動作完成時意識力集中在腰腹部，保持順暢呼吸去體會身體之刺激點，且著力重心在膝與腳跟，此動作如果初學習時在平衡點上做不好，則只要求先使自己身體能平衡即可。

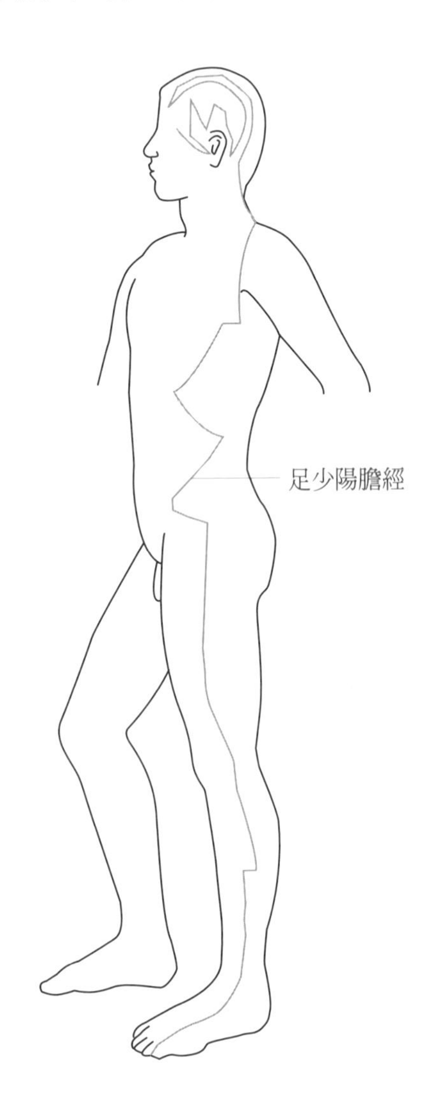

經絡穴位：牛面變化式可徹底伸展到身體之外胸肌及腹直肌，及按摩到足太陽膀胱經及足少陽膽經，而達調整交感神經及副交感神經。

頭手倒立式

做法：

1 跪坐（金剛坐），做深呼吸。

2 吸氣，將頭頂著地，雙手抱頭部，雙手肘也著地，吐氣。

3 吸氣，雙膝伸直，吐氣。

4 吸氣，腰腹部用力，使雙腳慢慢離地，向上伸直吐氣，停留數秒，做深呼吸。

5 緩慢還原，調息。

效果：①讓血液輸送到頭部，使頭腦清晰，心智更聰明。②美容養顏，預防失眠。③預防高血壓症、治頭痛及眼疾。④預防內臟下垂，並有鎮靜效果。⑤穩定情緒，啓發心靈。

注意事項：特別小心及注意沒有專業教師的指導在此建

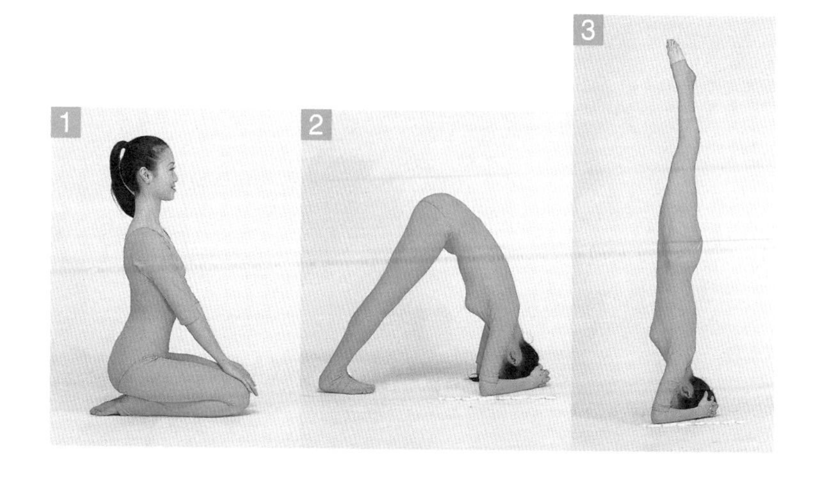

議不要自行練習此倒立式，因此式屬高危險性之動作，勿勉強練習，且犯有心臟病及高血壓之患者，嚴禁練此式。

經絡穴位：手抱頭倒立式直接將身體倒立過來而達調整內臟下垂之功效，同時頭頂穴位之刺激包括五處穴、承光穴、通天穴、百會穴等，刺激療效更顯著。

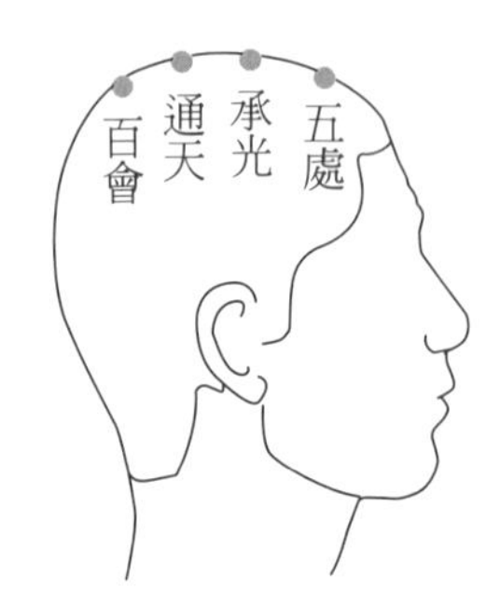

您經常腰酸背痛嗎？

瑜伽向腰酸背痛說再見

若說走遍千山萬水，訪遍中西名醫想治癒多年固疾腰酸背痛絕不為過。生活機能的改變，缺乏運動，坐姿、站姿甚至於睡姿，都異於往昔。吃得好動得少，腰酸背痛總是不請自來，要說它是文明病，一點也不為過，醫學檢驗出是骨刺或側彎，找出病因尚可治癒，可是每每訪遍名醫所得告知總是同樣回答：先吃藥再看看吧！消炎止痛，吃到何時呢？

中西醫之醫學理論多處總是難以迎逢配合，腰酸背痛，在中醫都以敗腎補腎為訴求，西醫X光檢查是否脊椎骨變化神經被壓迫所造成，有時造成下肢上肢之麻木。中西之說皆有其理，亦似乎都有療效，但就是未能根治。腰與背其實是非常脆弱的組織，我們應時時加以呵護，加強瑜伽運動。瑜伽是由冥想延伸而來，因此不受時間、空間限制，對忙碌的現代人而言，可以隨心所欲，想動就動。另外瑜伽領域的完全呼吸法，因為深長的腹式呼吸，所以具有安定身心，使人放鬆的功效，也有助血液循環更加順暢，再者瑜伽動作融合各種彎曲、扭、轉之動作，不僅可強化各部機能還具有平衡作用，腰酸背痛的再發性很高，所以練瑜伽要有恆心，如此才能站得更久，走得更遠，坐得更長，舉得更重。以下介紹雲燕式、90°腹部動作、蝸牛式，均有助舒緩您的腰酸背痛。

雲燕式

做法：

1 坐正，調息。

2 左腳彎曲，右腳向右外側，拉開且伸直，上身朝向左方，坐穩挺直腰背。

3 吸氣，上身轉向正前方，左手抱頭，吐氣，右手慢慢往下，滑向腳跟，停留，做深呼吸。

4 吸氣，慢慢還原，吐氣，雙腳回正。

5 換邊再做一次。

效果：①可纖細腰圍、美化手臂曲線。②消除腰酸背痛強化肝腎臟。③可調整白律神經。④預防婦科疾病及四肢冰冷。

注意事項：當身體向側面方向彎曲時，注意身體要保持端正的側彎，身體切勿前傾，如此才能將重點處，即脇腹部之肌肉伸展到。

經絡穴位：此動作因刺激點在脇腹部之處，因此可伸展及牽動到手少陰心經及脇腹、側腰之穴位，如膽俞穴、胃俞穴、三焦俞、腎俞，以達療效。

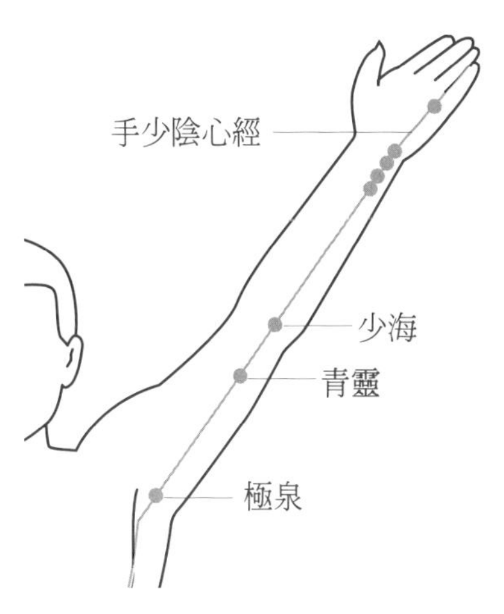

90°腹部動作

做法：

1 平躺，做深呼吸。

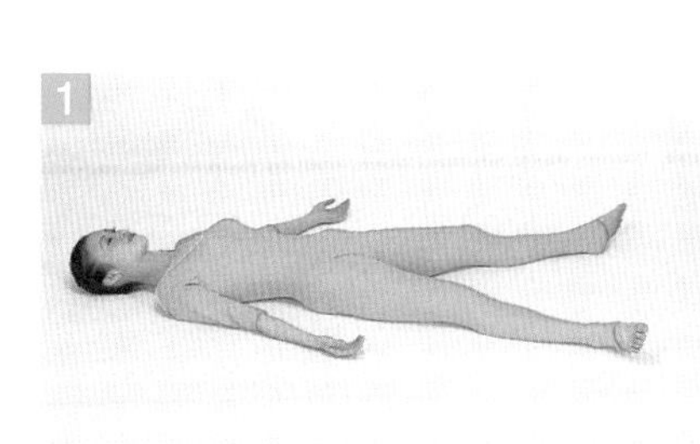

2 吸氣，雙腿緩慢舉高，吐氣肩背放鬆，停留數秒做深呼吸。

3 還原，放鬆，做深呼吸。

效果：①可消除腹部贅肉，強化腰腹肌力氣。②消除腰酸背痛現象預防腳趾抽筋及小腿肚抽筋。③預防靜脈曲張，美化腿部線條。④防坐骨神經痛，增加意識力及信心。

注意事項：當動作完成時，雙腳舉高的角度可停在肩背腰能放鬆的角度，享受腹部的吐氣收緊及腿筋的伸展，及大腿肌肉、腹部肌肉的收緊感，腳板的角度亦可隨意調整來刺激小腿肚及肌肉，可預防小腿肚抽筋，初學者剛練習由於腿筋彈性不夠，可能舉高的角度會較低，但腹部、腿部的用力感會很明顯，當練習時的收緊用力感，在動作還原後，放鬆的感覺就較明顯，效果也會更顯著。

經絡穴位：當動作完成雙腿舉高的同時，可按壓刺激尾椎而達腰俞穴、秩邊穴之刺激，及腳板之勾緊可按壓到如圖

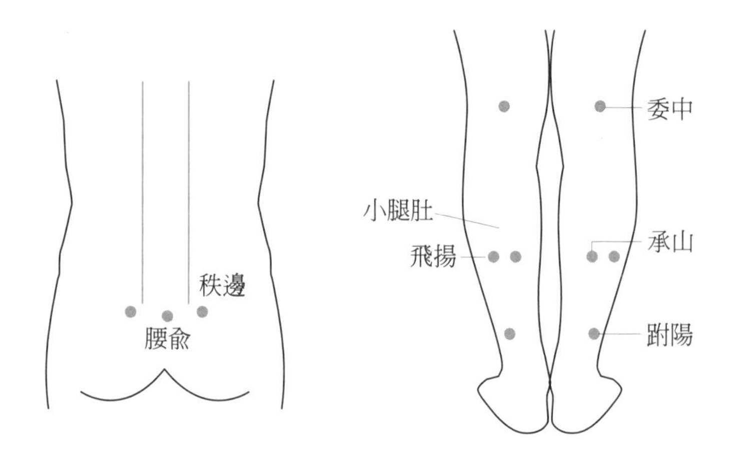

小腿之各穴位而使效果更佳。

蝸牛式

做法：

1 跪立，雙膝打開同肩寬度，臀部坐地上，注意腳尖是墊起的。

2 吸氣，上身慢慢平躺於地上，吐氣雙手撐地板，使頭儘量往腳尖處移，腰臀儘量推高。

3 雙手置臉部兩側，儘量將手肘著地，停留數秒做深呼吸。

4 還原，調息。

效果：①矯正駝背的姿勢。②強化氣管，美化頸部線

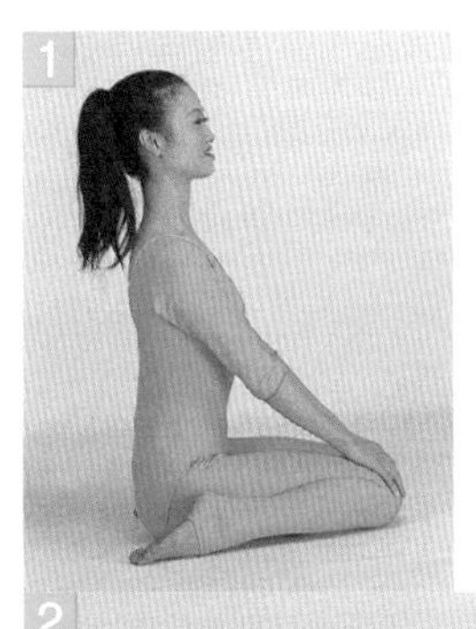

條，強化腰力。③解除腰酸背痛，消除腹部贅肉。④促進新陳代謝及血液循環。

注意事項：當動作完成時，需保持順暢的呼吸，避免練習完成後有頭昏現象，同時腰部用力上挺收緊臀肌肛門。停留時間因人而異，切勿勉強。

經絡穴位：此動作腰部向上力挺後可刺激到腰部之穴位，包含膽俞穴、胃俞穴、三焦俞、腎俞等穴位達固腰強腰之功效。

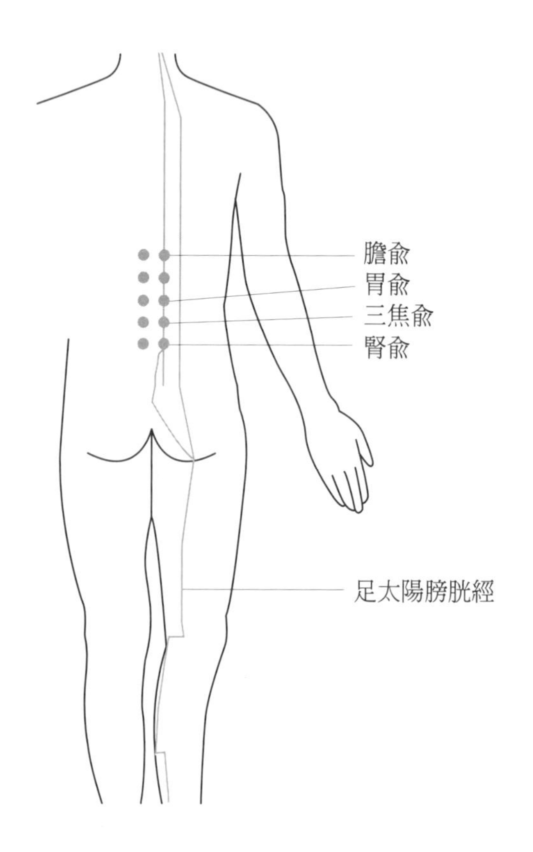

您經常頭昏、頭痛嗎？

惱人的緊張性頭昏、頭痛

「頭痛醫頭，腳痛醫腳」原是詮釋處事不夠周全的代名詞，可是今天有太多的醫藥廣告還眞是如此呢？君不見電視廣告止痛藥的出現率，依廣告費而言，即可知止痛藥市場之胃納有多大，頭痛於現今緊張的工商社會中，未曾擁有過的人還眞可列入保育動物加以保護。某些頭痛基本並非生病，適度的減壓放鬆往往都會得到滿意的排解，在此我們將介紹瑜伽動作，各位不妨試試，相信可以不藥而癒，也請您能口脛相傳，減少頭痛，愉快自然掛在臉上，人與人之間距離拉近，可愛多了，不是嗎？

長時間處在緊張狀態，使得腦部血液循環受阻，肌肉疲勞所致，所以在做解除腦部緊張壓力的運動時，絕對要讓自己的心情處在平靜的狀態。瑜伽的體位法就掌握此原則，在施行前先做深呼吸，調節情緒，使心情平和後，再按步驟進行，配合著深呼吸，一吸一吐的過程中不斷的放鬆自己，包括身體、心靈全都放得很輕鬆，以紓解壓力所帶來的緊張頭昏、頭痛，很有效果。接下來介紹這二個姿勢，請跟著做法練習，並按步驟進行，相信持之以恆，您將可擺脫惱人的緊張性頭昏、頭痛哦！

抱頭頂輪式

做法：

1 平躺，做深呼吸。

2 吸氣，雙膝彎曲，雙腳打開約肩寬，腳踩穩地板，吐氣。

3 雙手置頭兩側肩處，吸氣，手撐住地板，使頭頂頂地，吐氣。

4 雙手抱頭，吸氣微微前推，吐氣後推，停留數秒，做深呼吸。

5 還原，調息。

效果：①由於胸膛正面的擴張，進一步的會讓人產生開闊自我胸襟的領悟。②能使身心較為輕鬆及恬靜。③因頭部督脈穴位之刺激，可達鎮靜情緒，預防頭痛暈眩。④預防失眠及高血壓症。⑤可消除後頸部之緊張，解除身心疲勞，強

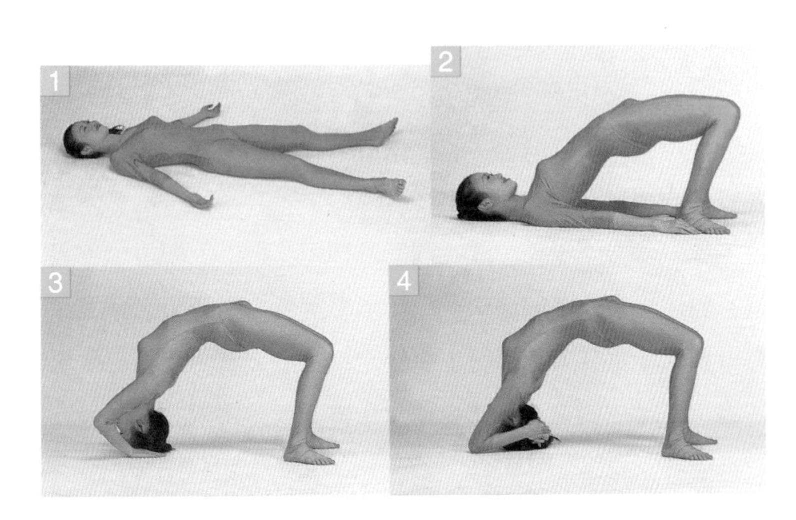

化身心靈的掌控。⑥可矯正駝背及消除腹臀之贅肉，預防體重上升。

注意事項：有嚴重高血壓者，請勿練習此動作，練習過程中若有任何不適請緩慢還原，不作勉強，且儘量保持順暢之呼吸，初學者若雙手在完成動作時無法將雙手抱頭，可將雙手撐住地板即可同樣有效果，切記勿勉強學習。

經絡穴位：此動作可徹底按壓到頭頂之任督脈而使療效更顯著。

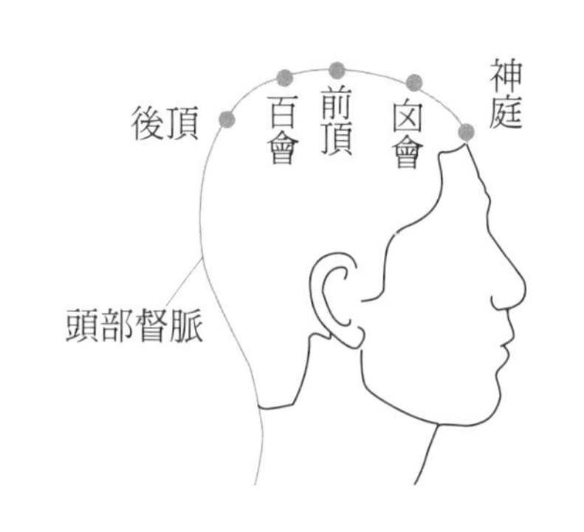

頭立三角山式

做法：

1 跪坐在地上，做深呼吸。

2 吸氣，讓頭在前方地板著地，雙手撐在地上吐氣。

3 吸氣，雙膝離開地板，雙腳伸直，雙腳打開與肩同寬，重心置頭頂上，雙手亦伸直放鬆，停留數秒，做深呼吸。

4 還原，雙手握拳，額頭放手上，調息。

效果：①防內臟下垂並可將血液輸送至頭部，故能促進血液循環。②可預防頭痛、頭昏、神經衰弱等症。③有美顏效果，強化視力。

注意事項：高血壓患者勿行此式，練習過程中若有任何不適應緩慢還原，切記勿勉強行之。

經絡穴位：頭立三角山式身體重心完全落在頭頂處，來按壓頭頂穴位尤其對百會穴、前頂穴均有刺激之功效，使療效更顯著。

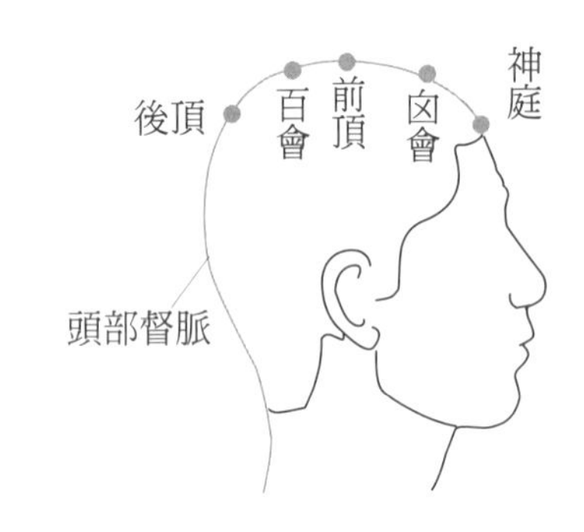

您經常感冒、咳嗽、氣管炎嗎？

咳嗽、氣管炎瑜伽身心調攝有訣竅

您相信嗎？咳嗽、發燒不是病，它是一個症狀，誠如一位小衛兵，告訴您：您生病了！支氣管發炎、肺部受到傷害、呼吸道被感染了，請注意多喝開水，並請醫生開個處方箋，減輕痛苦，若再不予理會，那就請自求多福吧！

台灣地處亞熱帶，每年秋冬是氣喘好發季節。每年三月至五月，以及九月至十二月，此時期病人經常反覆性哮喘，不停地咳嗽，且集中在夜晚或清晨，因此早期診斷及早預防氣喘復發是相當重要的，在各種上呼吸道疾病當中，氣喘及氣喘性支氣管炎、肺氣腫都是屬於慢性非特異性呼吸器官疾病，氣喘的主要特徵是重複發生急性呼吸困難，這是因為氣管內下呼吸道小分支阻塞而引起，輕微的氣喘病人會出現帶有噓聲的呼吸，並會吐出少許的黏液，在急性期發作階段的氣喘，伴隨著有噓聲、咳痰症狀，但必須立即救治的，卻是因缺氧而發生的呼吸困難，因為此時病人吸氣緩慢呼氣困難，氣體交換不及而使胸部發生膨脹現象，如果氣喘繼續惡化下去，病人會出現持續性的胸悶及壓迫感，嚴重時如不及時送醫急救，極可能會因持續性缺氧而死亡。

雖說咳嗽、氣喘屬於慢性病，但嚴重起來可是會要人命的，因此不可忽視，在所有氣喘族成員裏，無論幼兒或成年人所發病因，目前仍無定論。但醫界現在已經確知氣喘可分爲帶有遺傳體質的內因性病狀，及受過敏原刺激所引起的外因性症狀兩大類型。雖然氣喘的先天性傾向很明顯，可是醫師們相信所處的環境才是致喘的最大原因。

由此可知如何安置一個潔淨的生活環境，養成「零過敏」的個人生活習慣，運動預防疾病，才是氣喘防治的關鍵所繫。在此我們也要鼓勵您來練習瑜伽，多運動安神，注意飲食，相信對氣喘族有莫大助益。瑜伽體位法中的犬式及翻騰魚式，配合著腹式呼吸來進行，可增強抵抗力，且有助人體肺部氣管暢通，血管彈性亦變好一點，定期持續的練習使氣管彈性變好，以減少阻塞的機會，則自然可使喘的機率降低。瑜伽的練習最適合氣喘病人，因爲有氣喘之人，大多很怕運動，因爲幾乎每人「十跑九喘」，而瑜伽是採柔和漸進的方式操作及配合腹式的深呼吸法的訣竅來練習，更有助氣喘者，安神心靜緩和新陳代謝率，穩定煩躁的情緒，同時也可訓練呼吸肌肉強度增加。並可使氣喘者在喘時能很快的把喘控制下來，預防氣喘再發，在此特別叮嚀讀者，「預防重於治療」永遠是治咳嗽、氣喘的最高原則。

犬式

做法：

1 趴下，做深呼吸。

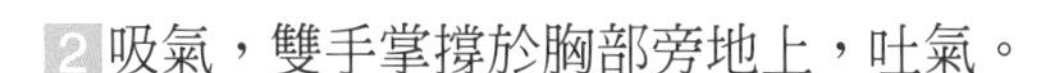

2 吸氣，雙手掌撐於胸部旁地上，吐氣。

3 吸氣，上身離地！吐氣，頭儘量後仰，停留數秒做深呼吸。

4 還原，放鬆做深呼吸。

效果：①此動作完成後，儘量將胸口挺出，可解除鬱悶。②穩定情緒，啓發心靈。③刺激頸部可達預防感冒、咳嗽及頸椎症。④強化甲狀腺，強化氣管，矯正駝背。⑤因腰部的刺激，可達袪寒效果。⑥美化下巴線條，預防雙下巴及頸部肌肉鬆垮，緊實頸部。

注意事項：犬式重點在頸部到下腹之伸展及後腰部之刺激點，練習時保持順暢的呼吸及將意識力集中在刺激點效果會更佳，同時配合呼吸可強化橫隔膜，使呼吸儘量順暢，可達穩定情緒的功效。

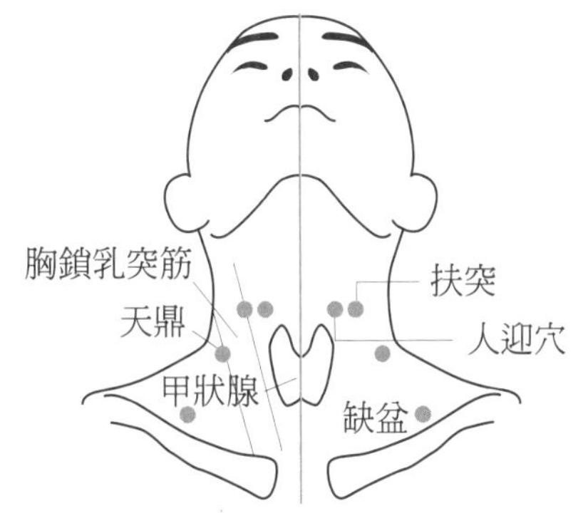

經絡穴位：此動作可伸展胸鎖乳突筋及刺激

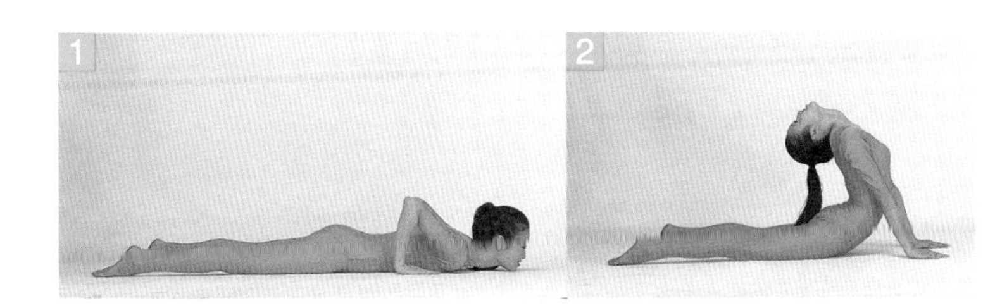

總頸動脈，促進血液循環及刺激如圖之穴道，使此動作效果更好。

翻騰魚式

做法：

1 坐正，做深呼吸。

2 左腳上右腳下上下交盤，完成盤腿。

3 吸氣，上身緩慢，躺到地板上，吐氣。

4 手肘撐地板，吸氣，胸口離地，頭頂頂地，停留數秒，做深呼吸。

5 緩慢還原，放鬆手腳，調息，盤腿換右腳下左腳上盤坐，再練習一次。

效果：①因擴胸後仰可強化扁桃腺、甲狀腺和肺部。②

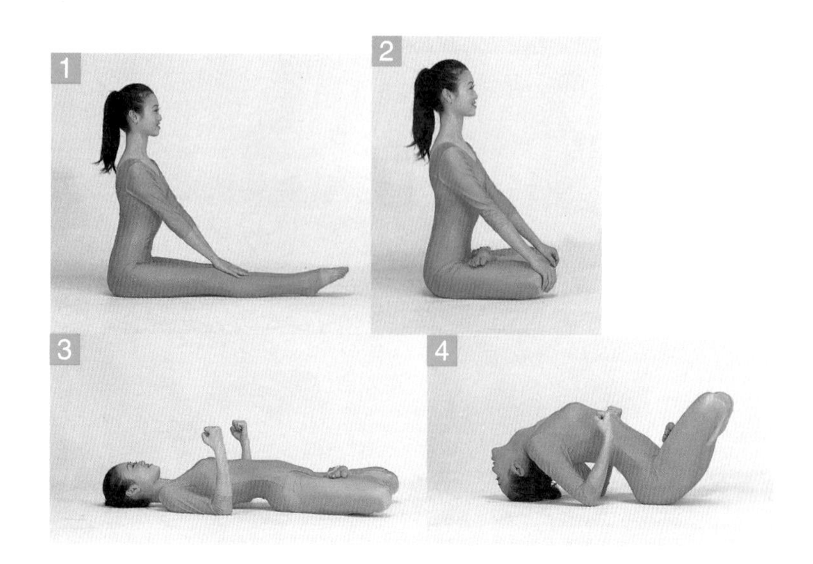

增加身體的抵抗力。③柔軟及美化頸部和肩部的肌肉。④強化支氣管炎，預防氣喘和扁桃腺炎。⑤消除頭痛頭昏。

注意事項：初學者如果雙腳無法盤腿，可將雙腳自然伸直即可，意念置於頭頂或頸部，過程中保持順暢的呼吸。

經絡穴位：此動作可刺激頭頂穴位及伸展胸鎖乳突筋，以及刺激總頸動脈而達促進全身血液循環及強化氣管之功效。

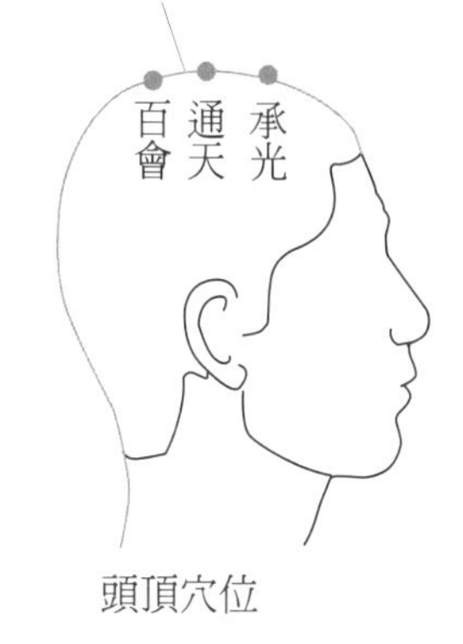

頭頂穴位

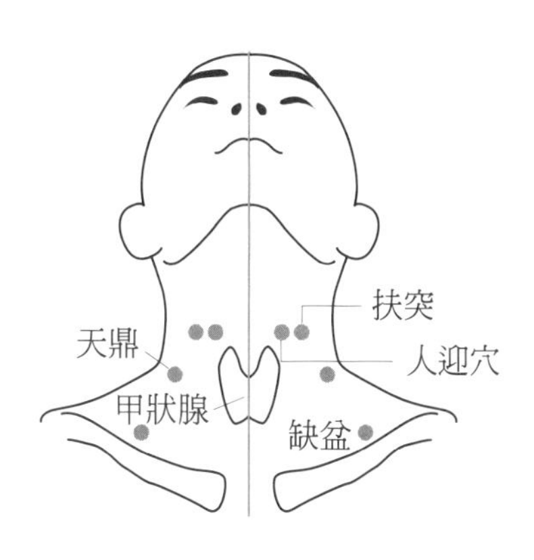

您鼻子過敏嗎？

哈達瑜伽鼻子淨化法

鼻子是呼吸時空氣的出入口，也是感覺味道的嗅覺器官，而且平常我們聲音性質中的音色，也是藉由咽、喉、口腔、鼻腔的共鳴來創造出較具有個人特色的音色，所以鼻腔與發聲的關係也特別深。

鼻腔的主要功能就是將吸入空氣中的灰塵去除，將空氣淨化、濕潤、調節溫度。吸氣時空氣通過鼻道，此時60％～70％的灰塵會被去除，空氣的溫度會變成20℃～37℃，濕度變成35％～80％，如此改變便使得肺臟內的氣體交換可以順利進行。鼻腔之所以會有上述的功能，完全要歸功於鼻腔黏膜，因爲黏膜表面有一層稀而濕的黏液可濕潤空氣，且有許多肉眼看不到的纖毛，像風吹蘆葦一般，將黏液層輕輕推送，並且過濾空氣，但若突遇寒冷，鼻腔血液循環不良，鼻腔正常的作用即受阻，可導致鼻子過敏，如果再加上細菌（病原體）侵襲，黏膜發炎就會產生流鼻水、鼻塞、嗅覺減退（無法分辨味道）、鼻內異常感甚至發燒。

因此鼻腔黏膜能正常運作，則無論大氣的溫度及濕度起了任何變化，鼻腔黏膜也能適時調節，就不致引起鼻炎或鼻子過敏。

鼻子過敏通常是因爲吸入外界微細穢物，或環境中空氣的溫度、濕度突然變化而引起。常導致我們鼻塞、嗅覺障礙、頭昏、降低生活品質，如果我們能常常清理鼻黏膜，將多餘的分泌物及外界微細穢物清除，便可加強鼻黏膜機能，減少鼻子過敏的苦楚。

哈達瑜伽鼻子淨化法，即可藉由清除鼻黏膜穢物的方法來加強鼻黏膜調節空氣溫度、濕度與過濾灰塵的功能而保健我們的鼻子。

鼻子清淨法

準備：

1.小茶壺一個（壺口不宜太大，以能塞入鼻孔之大小爲準），約可裝300c.c.左右的水。

2.毛巾一條。

3.鹽一茶匙。

步驟：

1 將茶壺裝滿水（溫水）加入一茶匙鹽，待鹽完全溶化後備用。

2 完成瑜伽拜日式體位法（若先前有暖身，即不需特別練習此式）。

3 完成循環呼吸法（確認鼻子暢通）。

4 清淨鼻子法：將小茶壺口放入鼻孔，頭傾斜45°左右，下巴內縮勿抬起，以利水能順暢流出。鼻腔放鬆，口腔微開，洗清過程中，全部用口腔呼吸，且意念放鼻樑的地方。

5 一邊鼻孔清洗完成後，用手指壓堵另一邊鼻孔，同時用力呼出氣，將鼻腔內水清乾，清洗過程因人而異，可能會有鼻子酸感、耳鳴現象或是流眼淚，多次重複的清洗後這些不適即會消失（注意：完成時一定要清乾，未清乾時請勿用鼻腔呼吸），再換邊清洗。

6 再完成金頂式及獅子式，或頭往下之瑜伽體位法均可。

7 最後再行循環呼吸法數次。

8 平躺行攤屍式之放鬆。

注意事項：鼻塞時勿行此淨化法；鼻子有傷口時亦不適宜行此法。

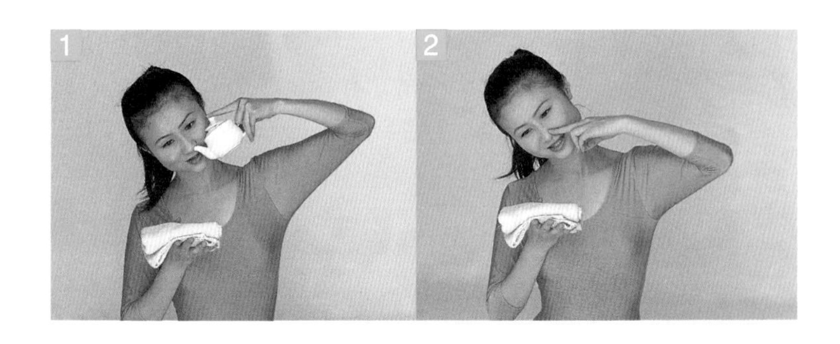

循環呼吸法

做法：

1 金剛坐，調息。

2 將右手之食指與中指按壓在臉印堂處，拇指置於右鼻孔，無名指與小指置於左鼻孔。

3 無名指與小指用力壓緊左鼻孔，吸氣，氣由右鼻孔進入身體，止息，拇指也同時用力壓緊右鼻孔數秒，吐氣，無名指與小指鬆開讓氣由左鼻孔排出，再吸氣，由左鼻孔吸入氣體，手按壓緊兩邊鼻孔止息數秒，吐氣鬆開拇指，氣由右鼻孔排出。

4 如此左右交替，循環做十回。

效果：①可使精神振作，頭腦清晰。②預防感冒、鼻塞、鼻子過敏。③可淨化心靈。

注意事項：練習過程，若有呼吸不順暢或因止息的關係，有人會感到頭昏腦脹，可採漸進式練習，第一次練二回，第二次練三回……依次類推，不強求一口氣練十回，可

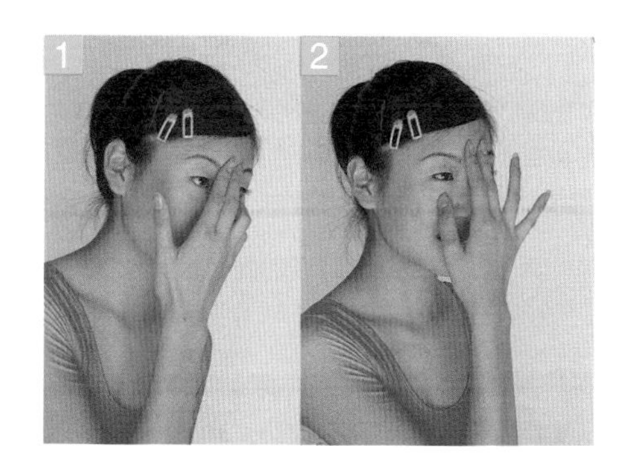

減輕不適的現象。

經絡穴位：此循環呼吸法藉由手之按壓刺激上唇舉肌亦可刺激顏面神經，對鼻塞、嗅覺異常、流鼻涕，都能改善。

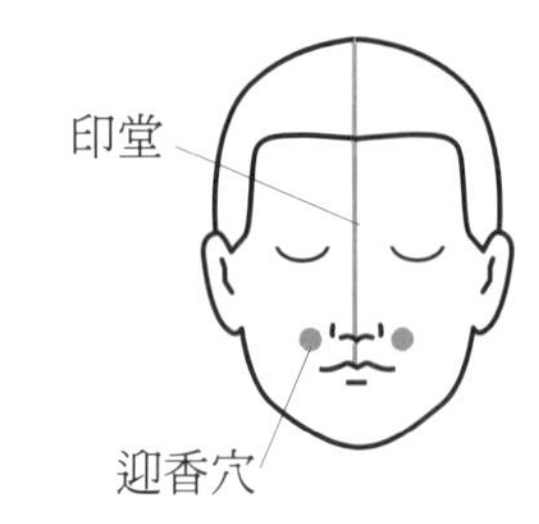

您有肩頸酸痛及五十肩毛病嗎？

肩頸酸痛靠運動擺脫它

「五十肩」只是個肩膀酸痛的代名詞，好發於五十歲上下之年紀，但並非只有五十歲的人才會擁有。現代的中老年人大概都經驗過下列一種或多種症狀，如脖子酸痛、肩膀疼痛、腰酸背痛、手麻、腳抽筋、膝蓋疼痛等不適，其實這些常見的老毛病，大致都是長期姿勢不良造成的。

人體一半以上的重量是由肌肉、筋腱、韌帶等軟組織組成，我們常說脖子酸痛、腰酸背痛，還有老年人常見的「五十肩」等都是因爲姿勢不良，長期固定某個動作或錯誤的動作，導致軟組織傷害而引發疼痛。尤其是上了年紀的老年人，軟組織的韌性和耐受力都比年輕人來得差。

以老年人常見的五十肩爲例，許多人顧名思義以爲上了五十歲才會有五十肩，其實五十肩的名稱是由日本名而來，正式的名稱叫作「冰凍肩」，有些人只有四十歲，五十肩照樣報到。雙臂無法高舉或大幅度轉動，尤其是曬衣服、穿套頭毛衣、扣衣服後面的扣子時，特別困難。造成五十肩的主因在於長期缺乏運動導致韌帶粘連，因此勤做運動，才是遠離身體酸痛的良方。頸部酸痛的病人，平日應多做前後左右點頭、轉頭的運動，別讓脖子只固定在某個方向。介紹瑜伽體位法中之扇子式及鎖環蓮花式，亦對五十肩有預防之效。

扇子式

做法：

1 趴在地上，下額著地，雙手左右打開，手心貼地，做深呼吸。

2 吸氣左腳舉高，跨向右側，右手握住左腳踝，吐氣，左手再向右側，也同時握住左腳踝，停留數秒，做深呼吸。

3 手鬆開後，換邊再做一次，然後緩慢還原，身體朝上平躺呈大休息式，放鬆調息。

效果：①矯正駝背現象，矯正背椎不正。②預防五十肩，消除扇頸僵硬。③消除手臂、背部及大腿贅肉，美化身

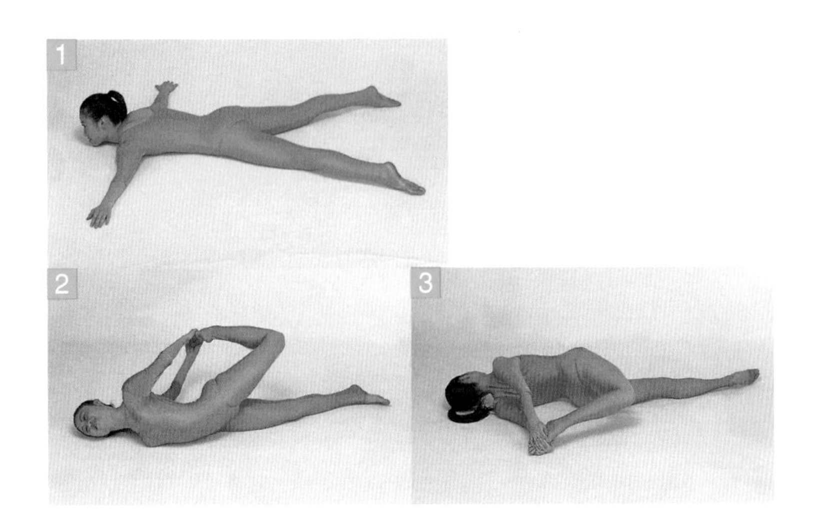

材。④有減肥的功效。

注意事項：初學者或背部肥胖及肩膀僵硬之人，雙手可能無法同時在背後抓住腳踝，但切記別氣餒，盡力而爲即可，只要感到肩頸背部有刺激及壓迫感即可。

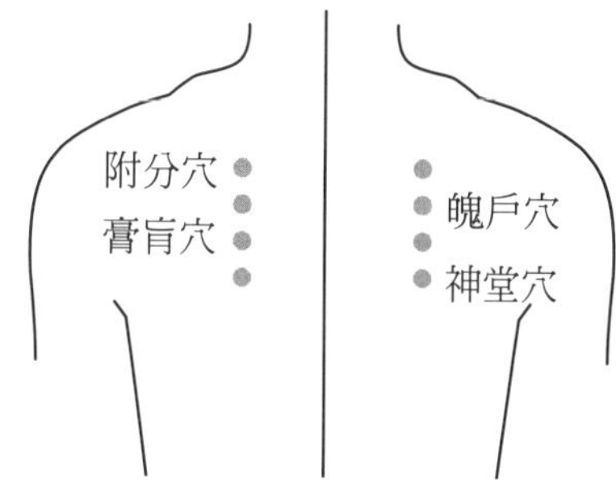

經絡穴位：此姿勢因強力擴胸可刺激背部膏肓穴、神堂穴、附分穴、魄戶穴等而達療效。

鎖環蓮花式

做法：

1 先行蓮花坐。

2 右手伸至背後握住右腳板。

3 再以左手伸至背後握住左腳板（儘量使腳跟頂住下腹部）。停留數秒，做深呼吸。

4 還原，調息。

效果：①由於兩手由後面抓住兩腳板，腳跟使勁地頂住下腹部，因此可強化腹腔、內臟、骨盤等機能。②有擴胸效果，柔軟並美化兩肩肌肉。③預防肩頸僵硬，五十肩。④增強肺的活力。⑤柔軟腰部。

注意事項：初學者因肩膀僵硬而會使得雙手無法由背部後方交叉互握腳板，可先施行單邊再換邊練習，假以時日定能達到標準，切記勿勉強。

經絡穴位：此動作對腿部及膝關節、踝關節、手部之肩關節均有強烈刺激之功效，可促進手腳之經絡暢通，全身血液循環活絡，及按壓腹部各穴位。

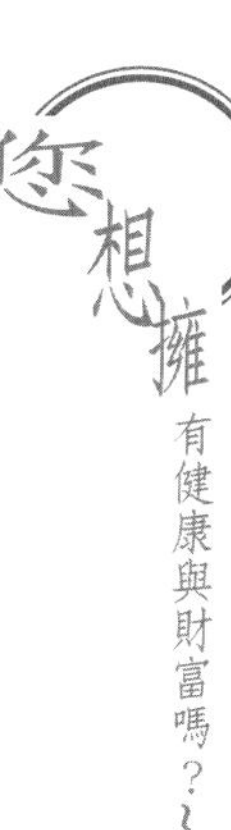

您想擁有健康與財富嗎？

擁有健康財富始自瑜伽

有錢並不是世界上最快樂的，擁有健康的身體才是無上的財富。忙碌的現代人每天為生活忙進忙出，難得靜下心來想想自己需要什麼？欠缺什麼？日積月累，非但工作發生瓶頸，健康亦亮起紅燈。

瑜伽運動是柔和、緩慢、順應時代潮流的運動，讓現代人能隨想隨做，隨時呵護自己的身體，其中所講究的呼吸法，因需按吸氣、止息、吐氣等三步驟循序漸進履行，故可放鬆自我，消除緊張、不安、疲勞及增加自我信心。

瑜伽運動融合各種前彎、後仰、左右扭轉之姿勢，配合深長、有意識的呼吸，可讓人告別惱人的贅肉，擁有令人羨慕的窈窕曲線外，體內各部器官也隨之受惠，例如胸貼地貓式可刺激胸頸部達強化甲狀腺、氣管之功效；後仰式可使整個胸腔內器官如心臟、肺也受到擴胸舒展，可更加活絡運作（下面有更詳細的動作解說）。

整體而言，瑜伽和一般運動一樣具有調身、散發體內多餘熱量、使人神清氣爽之效，其緩慢、柔和的動作可使施行者仔細注意身體感受，並與身體做親密、貼切的溝通。換言之，即使是一位孕婦也可以經由專人指導來做瑜伽，瑜伽不

僅能安定孕婦焦躁、不安的情緒，還可增加子宮內壁彈力，防止流產並有助於安胎，進而消除懷孕期一些不適現象，如腰酸背痛、靜脈曲張等。

瑜伽運動最大的特色就是不受年齡、階級、性別、身體狀況等限制，其好處道之不盡，唯有身歷其境始能體會個中奧妙及享受生命之意義。

胸貼地貓式

做法：

1 金剛坐（跪坐），腰背挺直，做深呼吸。

2 吸氣，雙手打開與肩同寬，置於前方地板。

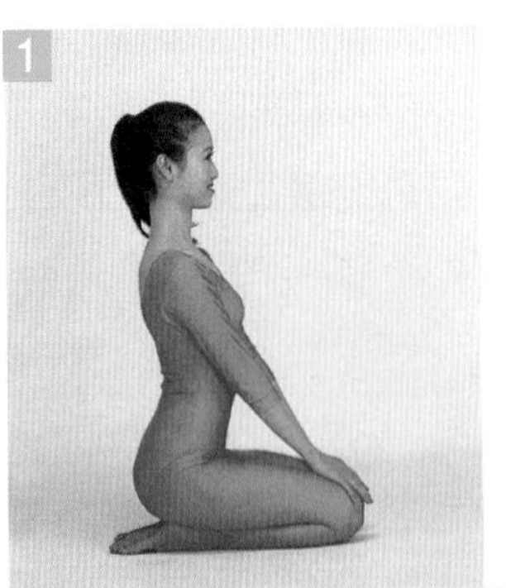

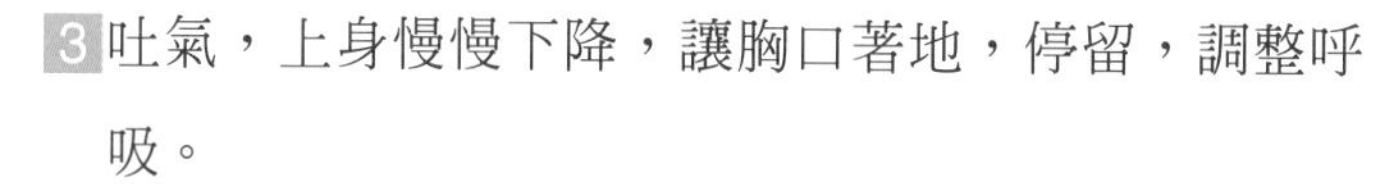

3 吐氣，上身慢慢下降，讓胸口著地，停留，調整呼吸。

4 緩慢將臀坐回後腳跟，下巴收回，額頭著地調息。

5 還原，做深呼吸。

效果：①當完成動作後，可自然而然的隨呼吸之韻律而使身心靈更靜心、更安祥與平靜。②幫助放鬆與安穩。③按摩到頸部與胸部，可治咳嗽。④預防甲狀腺功能失調。⑤預防感冒及治頸椎症、氣管哮喘、喉頭痛、胸痛。⑥防內臟下垂、子宮後屈、強化腸胃、防狹心症、胸口鬱悶。⑦預防高血壓症及氣管炎、治下腹痛、月經痛、調整生理期。

注意事項：練習時，可將意識力集中在您想藉由此動作達到之效果，就將注意力集中身體之刺激點，例如：治月經痛，將注意力集中丹田處，用丹田呼吸來按摩腹部刺激整個腹腔而達效果；而治甲狀腺失調者，則將意識力集中在下巴頸部處，去體會頸部按壓之感受；……依此類推，想以此動作達到什麼效果就將意念集中在您要的部位。而當動作完成停留數秒或停留多久時間則因人而異，有狹心症或胸口痛者，練習時不要一口氣停留太久，可分多次練習此式，絕不勉強爲之。

經絡穴位：此動作可刺激到任脈的各穴位，尤其是甲狀腺體，同時也刺激到頸橫神經及大車廓神經而更可促進上行頸動脈的血液循環良好，使所有效果都達到。

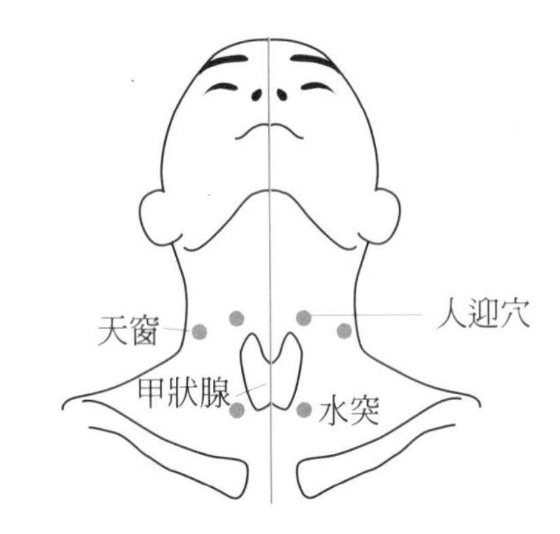

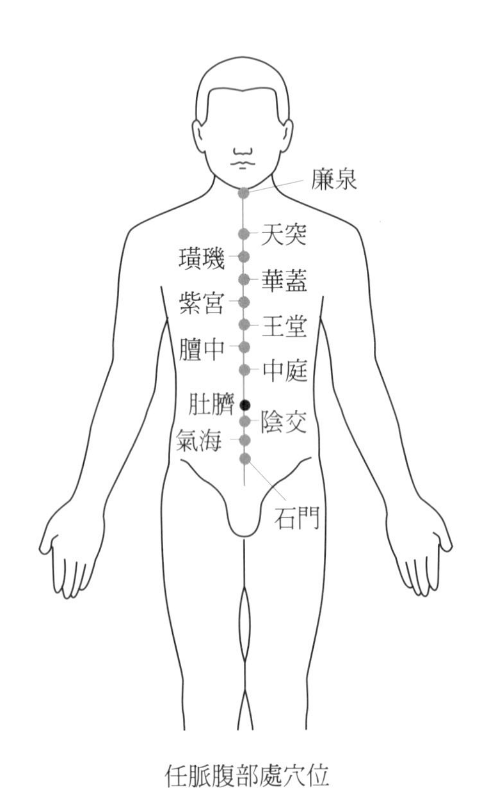

任脈腹部處穴位

後仰式

做法：

1 跪正，做深呼吸。

2 將兩手放在背後地上，兩手臂儘量平行，先吸氣，再把氣吐盡，同時後仰，此時胸部儘量挺起，停留數秒，做深呼吸。

3 還原，調息。

效果：①可矯正駝背的不正姿勢。②因擴胸後仰，因此能增強甲狀腺及扁桃腺的機能。③改善下半身的氣血循環。④促進新陳代謝。

注意事項：練習此動作時，後仰後應盡力將下巴往上方拉高以讓頸部有緊實感，同時盡力擴胸，做深呼吸，初學者因跪坐久了而腿部有漲痲現象，可多練習此式來改善下半身因氣血循環不良而造成的漲痲或抽筋。

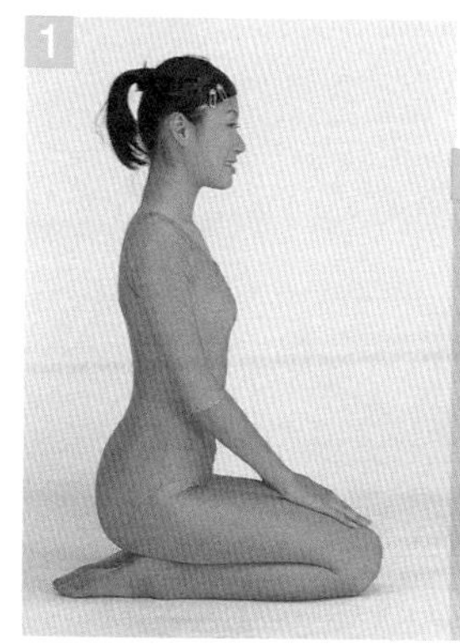

經絡穴位：因頸部包括舌骨、胸骨舌骨筋，胸鎖乳突筋均有伸展按摩之功效，且刺激了頸部各穴位使效果產生。

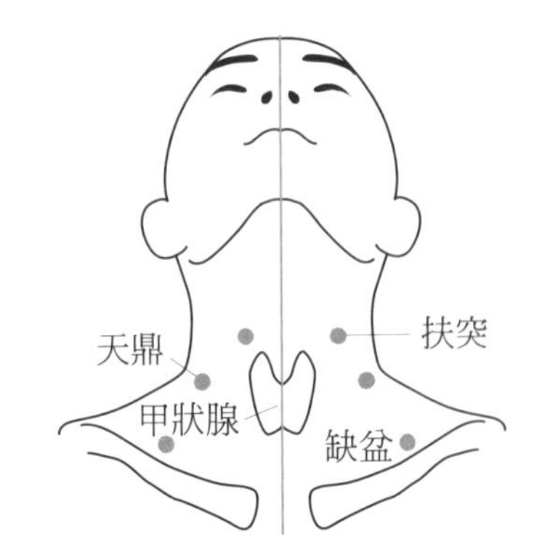

您常胸口鬱悶、心情不悅嗎？

開心、愉悅、少鬱悶

我病了嗎？胸口鬱悶、時而心悸、難以定心、焦慮不安，想完成某些事但總是無法如願，感嘆人生苦短，卻又未能善加把握，內心不禁感到不安與焦慮。在講求快速、效率的工商社會中，每個人不得不緊繃身上所有細胞，奮力迎接挑戰，當日積月累的壓力得不到適當的紓解時，健康就亮起了紅燈。常見的壓力症候群包括：胸口鬱悶、心悸、焦慮、不安、腰酸背痛、緊張性腸胃不適、頭痛、血壓上升……，真的，我病了！

紓解壓力及胸口鬱悶的方式有很多，當你的壓力已造成生理疾病時，除了尋醫診療之外，藉由動作柔和，能使心靈、肉體相互結合的瑜伽術，亦可達到改善效果。一般人遇到壓力時容易焦躁、緊張、胸口鬱悶，這時可利用瑜伽呼吸法緩和情緒。瑜伽呼吸法除了能使情緒穩定、增加自信心外，還可調理身體各部機能，因攝氧充足，廢氣又能完全排除，可使體內血液循環更加順暢，內臟器官運作更隨之活絡。同時勤練瑜伽體位法，亦可徹底平衡身體的失調，有助於解除身體的不適。聰明的您保持一顆愉悅的心，恆心的練習瑜伽，保證您「開心、愉悅、少鬱悶」。

駱駝式

做法：

1 金剛坐（跪坐），做深呼吸。

2 吸氣，跪立，同時雙膝左右分開與肩同寬。

3 吐氣，上身後仰，雙手按壓腳底湧泉穴處，停留數秒，做深呼吸。

4 還原，調息。

效果：①此動作因強力擴胸，可使身心感到愉悅開朗，解除胸口鬱悶。②可強化氣管、肩關節，預防感冒。③矯正駝背，可治腰酸背痛及腎疾病。④強胃、強腎、防高血壓、心悸及神經衰弱。

注意事項：後彎較差的初學者，若無法用手按壓湧泉穴，不必勉強，可墊腳尖，雙手抓住腳跟練習即可。

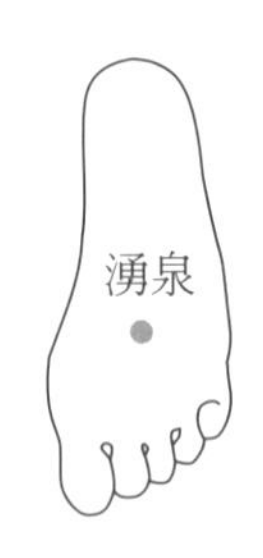

經絡穴位：此姿勢可伸展到胸肌、腹肌、腿肌及按壓後背腰部如圖之穴位及腳底

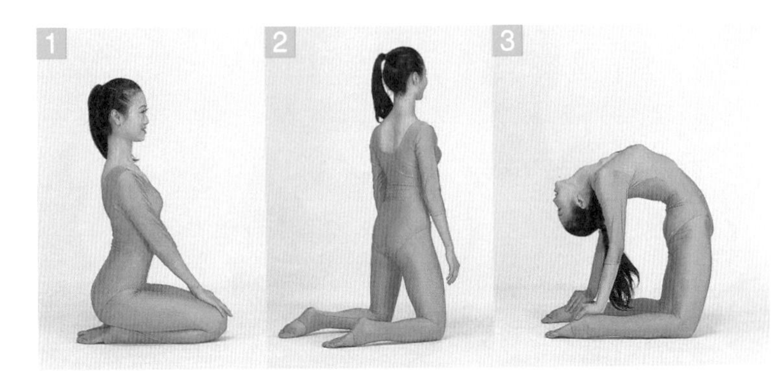

湧泉穴，使效果更好身體更健康。

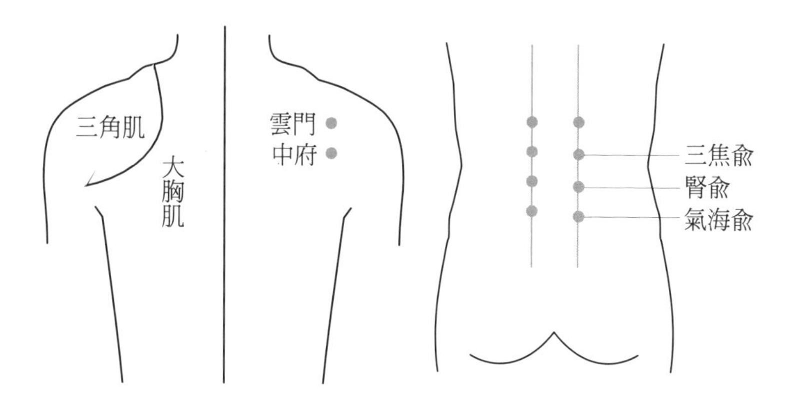

海蝦式

做法：

1 站立，做深呼吸。

2 左腳向前方跨出一大步，雙手於背後合掌。吸氣上身慢慢後仰，吐氣，停留做深呼吸。

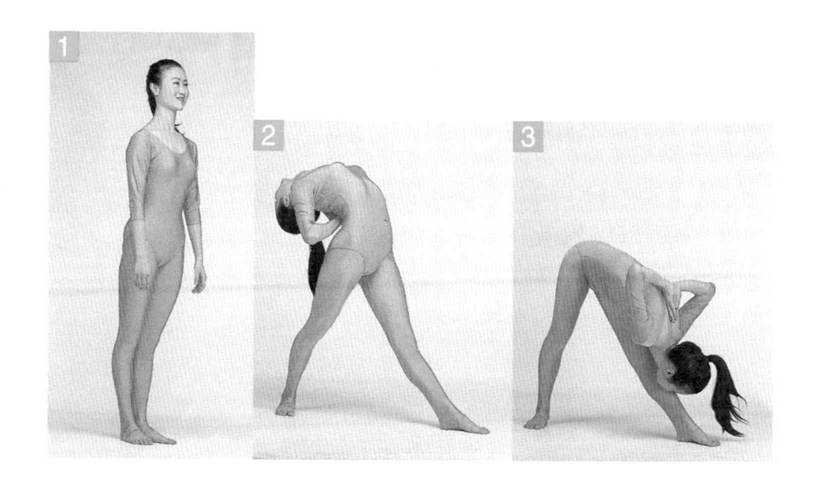

3 吸氣，上身緩慢回正，再配合吐氣，身體前彎儘量貼近腿部，停留數秒做深呼吸。

4 還原，換腳再做一回。

效果：①紓解胸口鬱悶，解除壓力。②促進血液循環，消除頭疼，預防失眠。③解除疲勞，柔軟肩關節防五十肩。

注意事項：練習過程中要注意保持順暢的呼吸，若有任何不適即刻以緩慢的方式還原，由於此動作既後仰又前彎，易造成頭昏不適，練習時宜緩慢爲之。同時當身體後仰時，應盡力擴胸來紓解胸之鬱悶，並保持愉悅的心情練習效果更佳。

經絡穴位：此動作屬全身性之動作，可暢通全身之血氣、任督二脈及手足各經絡而達健身之功效，並可調整身體之平衡性。

您的心肺功能亮紅燈嗎？

心肺功能靠自救

記得兒時阿嬤的「救心」鐵盒裝，只要稍感不適，口服兩顆溫開水服下，藥效神奇，三分鐘後，提著菜籃扛著鋤頭又是汗滴禾下土，此時似乎也忘了辛苦，只掛念著，在田裡農忙的阿公及壯丁，回家前必須煮好晚餐闔家團圓，共享天倫，在那個時代那有如此之多的文明病。吃得好，動得少，心臟難以負荷。科技的演進造成空氣的污染、工業區不定時的化學氣體排放、水源的劣質，如此糟的大地環境對現代人而言「心臟病」、「肺臟病」怎能避免呢？心肺疾病總是被定義為十分難纏的「隱形殺手」，每年不聲不響地奪走許多人的寶貴生命，在國人的「十大死亡主因」中始終高居前五名，不過值得注意的是，美國哈佛大學醫學院副教授瓊安孟遜博士就其多年鑽研心得告知，面對心肺功能的威脅，實際上大多數人的命運都是操在自己手上。換句話說，只要自己立下決心，改變以往不正常的生活方式，多半能逃過此劫。

例如：

1.戒菸：吸菸也是造心臟病、肺臟病的罪魁禍首。

2.降低血中膽固醇含量：改變平常錯誤的飲食習慣，降

低膽固醇含量，即可使病發的機率減小。

3.維持理想體重：經常保持理想體重亦可降低心肺疾病發作之機率。

4.運動：保持恆規運動（當然不宜做劇烈運動）要比成天坐著不動的人降低45％之發病率，而瑜伽是最適宜之運動選擇。

不管怎麼說，心肺功能的好壞取決於自己，要以決心導正本身的生活方式，而非聽天由命。接下來介紹兩個強化心肺功能之瑜伽體位法。

輪式

做法：

1 仰臥地上，做深呼吸。

2 彎曲膝蓋及手肘，將兩手反掌平放在兩耳旁，吸氣將頭縮進，頭頂在地上吐氣。

3 吸氣後，雙手雙腳用力撐，胸部和腰部懸空而起，使其呈車輪狀，吐氣。停留數秒，做深呼吸。

4 還原，調息。

效果：①可治便秘，強化心肺功能。②消除腹部脂肪且因身體後仰可使脊椎富有彈性。③矯正駝背現象及調整脊椎的不正。④強化甲狀腺、氣管機能。⑤強壯手腳機能。

注意事項：練習此動作勿操之過急，若無法如同圖 3 將身體撐高，可保持圖 2 停留即可，此動作完成後臀肌夾緊，肛門收緊，腰盡力上推到緊實感效果更佳。

經絡穴位：此動作屬全身性之動作，可疏通全身經絡穴脈，並因後彎可刺激腰脊穴位達療效。

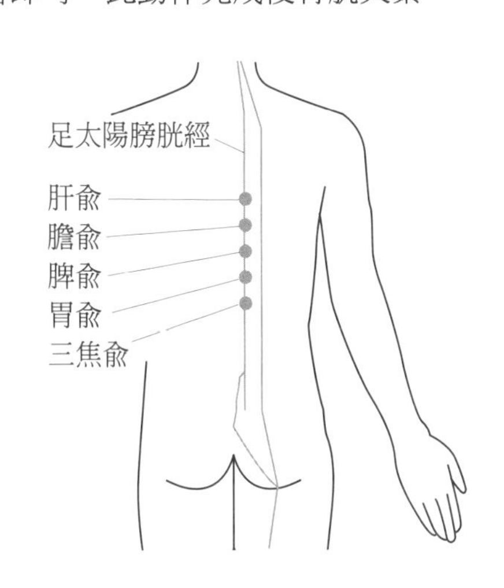

頭肩手足離地式

做法：

1 平躺呈大休息式，做深呼吸。

2 吸氣，手握拳，腳背拉直，手腳頭肩膀同時離地，止息，停留數秒。

3 吐氣，放鬆手腳頭肩，碰地，還原。

4 來回重複十次後，放鬆，調息。

效果：①此動作可促進全身血液循環，強化心肺功能。②活潑內臟機能，有減肥效果。③強化體力，增強免疫力。④當動作使頭、肩、手、足、離地時，可凝視丹田處，全身用力，專注丹田，培養意識力及耐力。（身體虛弱者可多練習此式）

注意事項：當頭、手、肩腳離地時，是全身儘量用力的時候，而放鬆回地板時，是全身最放鬆舒服的時候，藉由一緊一鬆，達到血液循環良好，並可促進新陳代謝。體力虛弱者不必勉強一口氣要做十次，可依自己的體力逐漸增加次數。

經絡穴位：手握拳時，可用力使用手指按壓手掌心之少府穴及營宮穴位，使效果更佳。營宮穴可治胸痛，少府穴可治關節風濕症。

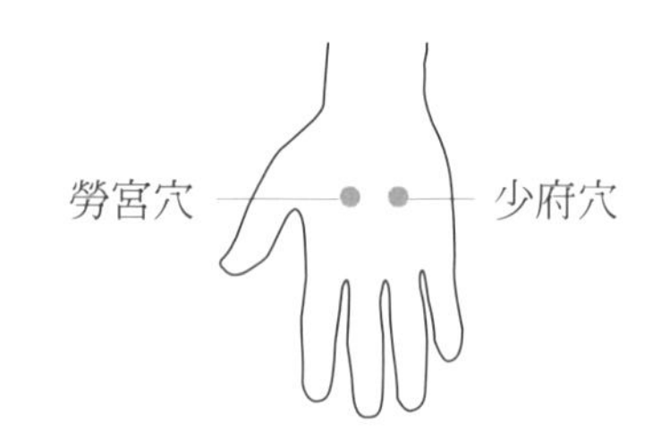

您有視力減弱、近視的現象嗎？

眼睛也需要運動

在此我們不想介紹複雜的眼部構造及理論，這方面的問題您可請教專業的眼科醫生；也不想說明台灣地區民衆視力有問題的比率有多高，因爲那已是衆所周知的。我們要告訴您的是一個簡單的道理——「視力的秘密在於平衡」，只要您常注意減少眼睛近距離工作的時間，就是最佳的視力保健方法之一。這點很重要，因爲日常生活中很少凝視遠方，多半時間都是在「近距離使用視力」，視覺神經早就失去平衡了。平常多提醒自己抬頭挺胸，張開雙眼，儘量朝遠處偏上方眺望；多眨眼睛，使淚液滋潤角膜；或常閉眼放鬆眼球，讓眼睛回復自然放鬆的狀態；以及多做瑜伽眼部的調整體位法，就是最佳的視力保健之道。

蝗蟲王式

做法：

1 趴於地上，下巴著地，做深呼吸。

2 雙腳彎曲，腳尖朝上，雙膝併攏，雙手插腰，手肘於背後，左右盡力夾靠近。

3 吸氣，頭上仰，雙腳亦儘力往上拉使膝蓋也離地，視

線朝頭頂上方用力看，停留調整呼吸。

4 還原，放鬆全身，調息。

效果：①強化視力。②消除臀、腹、腿部贅肉。③強化體力，改善體質。④預防感冒，預防腹脹氣。⑤消除腰酸背痛。

注意事項：動作完成頭應儘量向上抬，視線也盡力向頭頂上方看，同時雙腳用力上抬到雙腿因用力而產生酸痛感，如此效果更佳。

經絡穴位：此姿勢對不易刺激的眼部及韌帶均靈活到，同時對腹部亦達按摩之功效，可按壓腹部之各穴位含陰都、石關、商曲、盲俞、中注、四滿等穴。

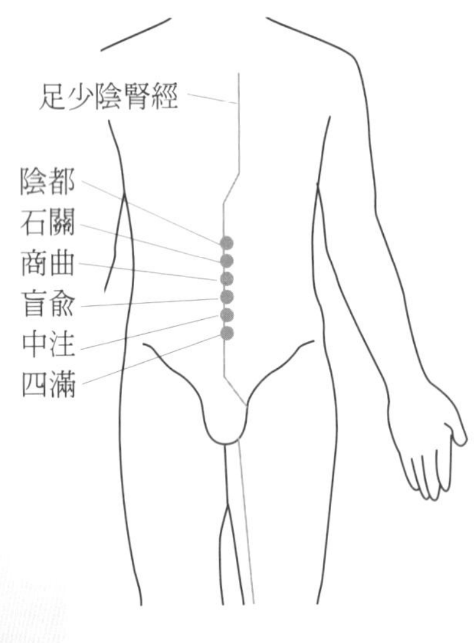

視力法

做法：

1 吸氣，睜大兩眼，把視線集中於頭頂，止息，吐氣閉目做深呼吸。

2 吸氣，睜大兩眼，把視線集中於鼻尖，止息，吐氣閉目做深呼吸。

3 吸氣，睜大兩眼，把視線集中左耳，止息，吐氣閉目做深呼吸。

4 吸氣，睜大兩眼，把視線集中右耳，止息，吐氣閉目做深呼吸。

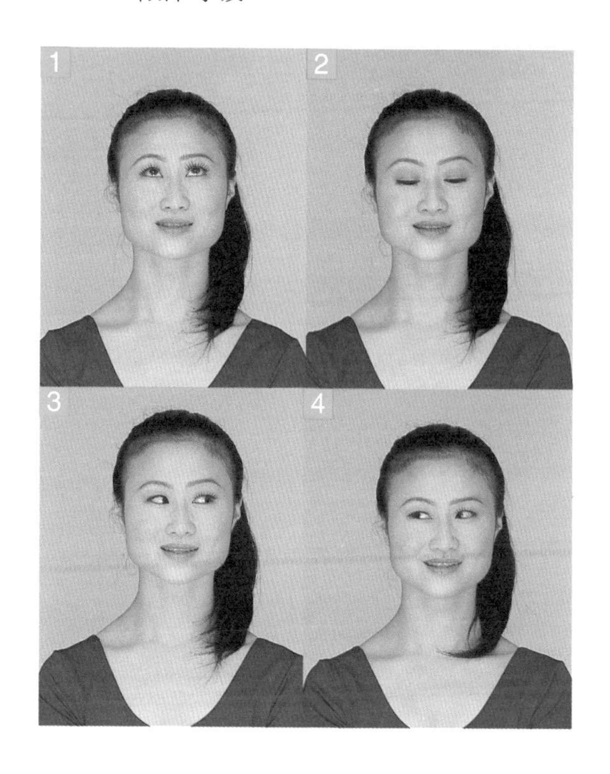

效果：①強化視力，預防斜視及眼疾。②使眼睛的血行良好，預防遠視、近視。③消除眼部疲勞。

注意事項：練習此視力法，每看一個集中處時，頭肩需保持端正，只有眼球轉動，同時視力集中一處很容易疲勞，因此需閉目做深呼吸，練完此式最好將視力往遠處眺望約五到十分鐘然後閉起眼睛休息及舒緩眼睛，效果更佳。

經絡穴位：此視力法可使眼球徹底的轉動而牽引眼部幫助肌肉及韌帶的靈活，並促進血液循環，而使眼部及臉部的氣血循環良好，使效果顯著。

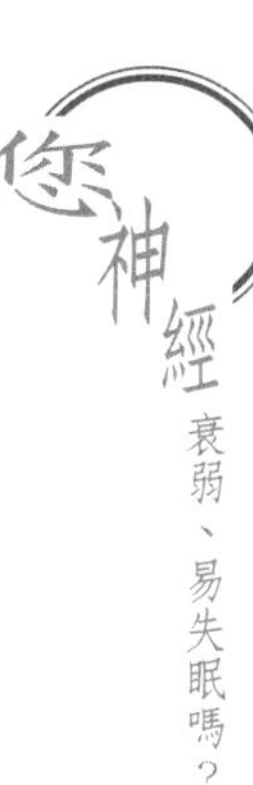

您神經衰弱、易失眠嗎？

瑜伽幫您解除睡眠障礙

粗茶淡飯，藍天為幕，大地為床，睡得安穩，昔時的豪邁粗曠，日子過得充實愜意，無所思，無所慮，日出而作，日入而息，多令人羨慕，而今現代人的臥房愈來愈舒適，但是睡眠品質卻難以提升。根據一項調查顯示，國人有失眠問題者，男性約為14%，女性28%，且有逐年增加的趨勢。

消除睡眠障礙的方法五花八門，最常見的是吃安眠藥，但是藥物用多了，不僅容易引起副作用，也可能上癮。因此，有些人只好忍受著夜夜失眠的痛苦。一旦有失眠現象應該先找出失眠的原因，一般來說不外乎以下幾點：

1.環境影響：太吵、光線太亮、時差、換床。

2.個性問題：凡事要求完美、愛鑽牛角尖。

3.身體疾病：患有氣喘、支氣管炎、胃潰瘍、頭痛等疾病。

4.藥物使用：提神藥中的某些成分會妨礙睡眠；長期服用鎮靜劑、失眠藥或一時減量、不用也可能徹夜難眠。

5.喜愛茶、咖啡、酒等刺激性飲料：尤其是睡前兩、三小時飲用，更易造成精神興奮睡不著。

6.精神疾病：大部分失眠者都與此項有關，例如憂鬱

症、精神分裂症者。

失眠原因千百種，唯有追本溯源，才能對症下藥。若因情緒欠佳導致難以入睡，可施行瑜伽的呼吸法及靜坐來安撫心靈，淨化雜亂思緒。若因頭痛、腦神經衰弱而造成失眠，我們就必須注意，因腦神經衰弱往往是自主神經失調所致，中年人更須注意，不要讓太多壓力積壓在自己身上，也不要胡思亂想。可多練習瑜伽體位法之頭頂輪變化式及兔式來促進全身血液循環順暢，改善身體不適現象，使整個人神清氣爽有助安眠。

頭頂輪變化式

做法：

1 平躺，做深呼吸。

2 雙腳打開同肩寬，將臀離地，腳踩穩地板。

3 雙手反掌於頭兩旁，用力推地板並使頭頂頂地。

4 雙手離地，移到胸前交叉握拳由內向外伸直，停留數秒，做深呼吸。

5 還原，調息。

效果：①藉由地板刺激頭頂之百會穴甚至可以深入內層腦部的松果體，可以調整我們的內分泌腺，進而使精神、情緒達到平衡狀態，人自然心身靈是在最佳狀態。②此動作亦可因手部的伸展，達美化手臂的線條。③消除腹部、臀部贅肉。④矯正駝背現象，治療神經衰弱症、頭痛、頭昏及失眠。

注意事項：練習時，由於頭頂刺激很徹底，若感到頭昏則不必勉強爲之，有嚴重高血壓患者，請勿練習此動作，當練習頭頂輪變化式時可將意識力集中頭頂處，效果更佳。

經絡穴位：頭部任脈、督脈交會處均爲按壓刺激點區，因此可使頭頂輪變化式在預防神經衰弱及失眠現象達更顯著之療效。

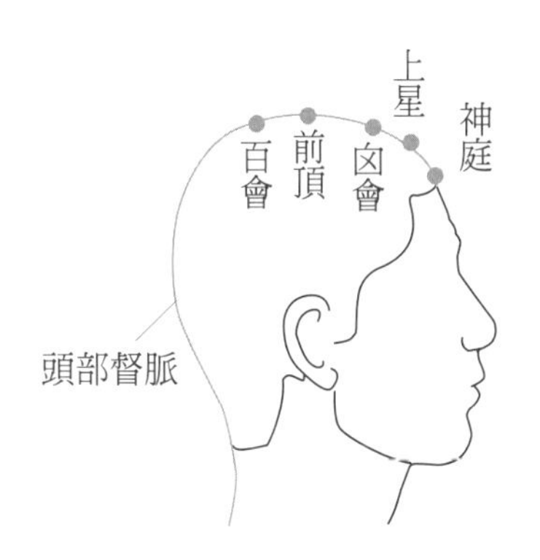

兔式

做法：

1 跪坐（金剛坐），做深呼吸。

2 吸氣，收下巴，頭開始向膝蓋方向下降，吐氣，雙手抓腳跟讓頭著地。

3 吸氣，手抓腳，頭盡力縮向膝蓋，吐氣，身體重心放頭頸脊處，停留數秒，做深呼吸。

4 緩慢還原，調息。

效果：①可預防耳鳴、頭昏、頭痛。②消除神經衰弱及失眠，預防呼吸器官疾病。③避免感冒及眼疾。

注意事項：初學者初期練此動作，可能無法將頭靠近膝蓋，不打緊，量力而爲，即使不靠膝蓋，只要動作完成後去體會頭著地之按壓感及頸背伸展之感受即達最佳效果了。

經絡穴位：練習兔式可按壓到頭頂穴位，並可徹底伸展到頸脊處對頭部後頭筋伸展及刺激大後頭神經促使後頭動（靜）脈血液循環良好，對神經衰弱及失眠之預防效果更卓越。

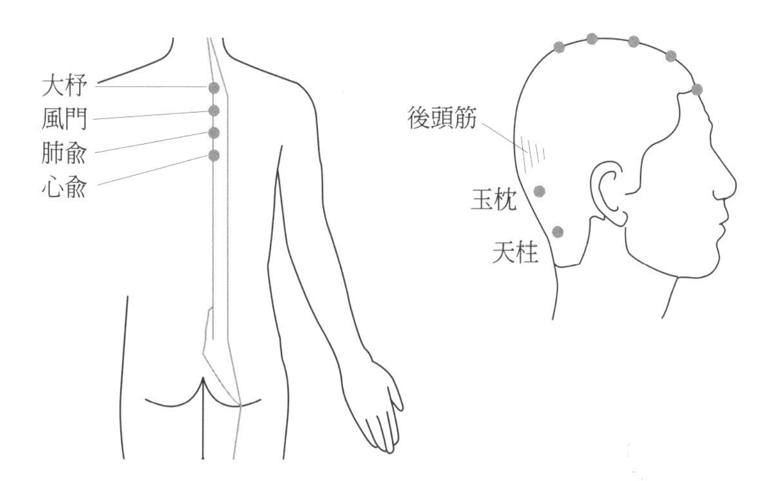

您有腸胃不適的情況嗎？

健胃整腸——瑜伽是專家

企業的激烈競爭、複雜的人際關係、忙碌的生活步調，使現代人生活常處於待命的狀況。長期處此緊張又忙碌卻無法鬆懈的環境下，若未能有適當的管道自我放逐排除壓力，人體將出現諸多不適症狀以示警抗議，尤以腸胃疾病爲最。

胃腸對外力之抵抗力爲何如此薄弱？主要是因壓力侵害人體時胃會分泌大量胃酸，而胃酸一旦增多保護胃壁之粘液將隨之減少，另一方面，外力還會造成胃血管收縮，使胃內血液流量驟減，如此一來，胃腸不僅無法發揮其功能，還會出現食慾不振、腹瀉、胃脹打嗝、便秘等症狀。當然胃腸病的肇因不只是壓力，不正確飲食、菸癮過大、酗酒亦會影響胃腸毛病，關係整個消化系統，故其症狀並非只是肚子痛，可能還會有噁心、嘔吐、發燒、腹瀉等現象。發病症狀若能有效掌握，對疾病診治非但有利，平常防護工作也易著手。

在瑜伽體位法中，緊張與鬆弛是相互牽引，相輔相成的，例如「單手駱駝式」利用手支撐身體力量使肋腹及腰腹部均得到舒展及鬆懈，來完全鬆弛自己，獲得緊張壓力之改善，另一方面，瑜伽體位法因有各種不同動作及講求意識性停留，因此當我們進行這些動作時，可以感覺到欲強化的部位受到按摩、呵護及被調整外，其機能也隨之提高，且無形中活絡筋脈，增進血液循環，像蜜蜂式，可促進體內新陳代謝，可刺激到腸胃，幫助胃腸蠕動，對那些一緊張就鬧胃腸不舒服的人而言，更具效果。

腸胃疾病不管是長期精神緊張、飲食不當，或是天生腸胃差，皆可利用瑜伽來改善，瑜伽係透過循序漸進的方式來減輕患者緊張情緒，調整飲食不良習慣，並以積極強化消化系統與腸壁、胃壁彈性之姿勢，徹底解決消化道之毛病，由於消化不良及腸胃病均屬慢性疾病，所以持之以恆地做瑜伽，才可有效預防並治療惱人的胃腸疾病，千萬不要以過於忙碌爲由半途而廢，唯有恆心及耐心才能擁有眞正健康的人生。

單手駱駝式

做法：

1 跪立挺直腰桿，做深呼吸。

2 吸氣，雙膝打開與肩同寬，吐氣。

3 吸氣，腰臀往前推，上身放鬆，左手抓左腳，吐氣，右手向後方伸直，停留做深呼吸。

4 還原，換邊，再做一次。

效果：①此動作簡單又徹底，可矯正駝背。②因擴胸可消除胸口鬱悶，促進心肺功能。③促進血液循環，消除緊張，並可改善心情和精神，使人開朗、快樂。④可刺激腰部來強化腸胃及腎功能，消除腰酸背痛。⑤消除腹部贅肉，及預防乳房下垂。

注意事項：當動作完成時，請特別注意，保持順暢的呼吸及後仰時頸部的放鬆，後彎手無法抓腳者，表示後彎柔軟度不夠，當有此現象時別灰心亦別勉強自己，可將腳尖墊起

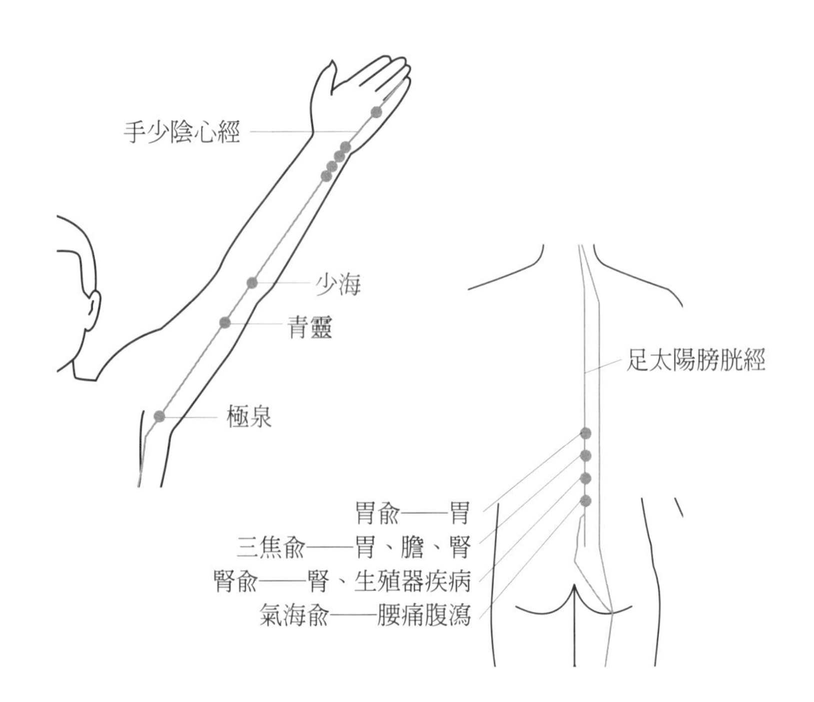

手扶後腳跟或手扶臀部亦可漸進練習與進步。

經絡穴位：此姿勢可伸展到腹直肌、大胸肌及大腿肌，同時可刺激三角肌及肩、頸、關節及腰脊（如圖之穴位）而使效果更卓越。

蜜蜂式

做法：

1 坐正，做深呼吸。

2 將雙腳盤起，成蓮花坐姿。

3 吸氣，臀離地，雙手撐於前方地板上。

4 吐氣，緩慢讓身體下降著地，下巴亦著地。

5 雙手於背後合掌，吸氣，頭抬起，停留數秒，做深呼吸。

6 還原，調息。

效果：①此動作可以按摩到腹部，強化腸胃，消除脹氣。②因腰與頸部的刺激可調整自律神經。③促進血液循環有祛寒之效預防懼冷症。

注意事項：初學者可能因腿筋僵硬而無法盤坐，可成半盤即可切勿勉強，雙手於背後合掌，若無法如此施行，可將雙手置放腰部，上身盡力離地停留即可。

經絡穴位：此式因上身盡力抬起可刺激頸部之人迎穴、水突穴及疏通足陽明胃經使療效更具實。

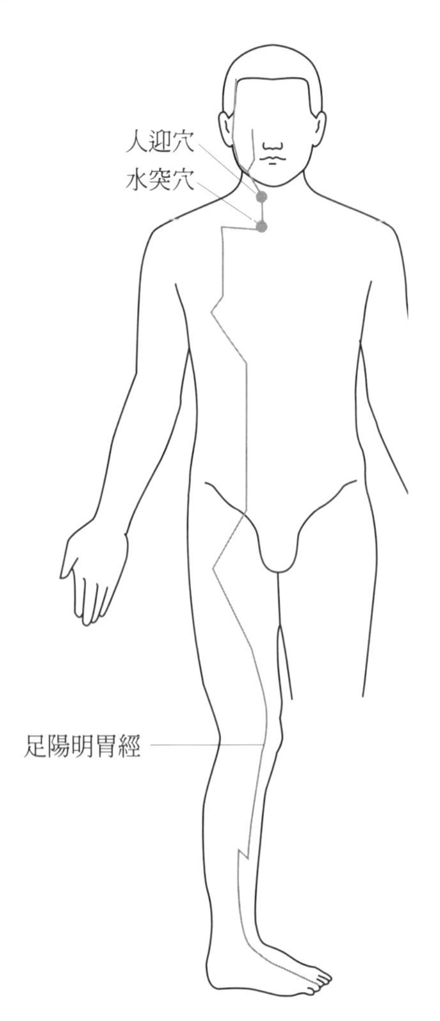

您有便秘情況嗎？

舒暢排便，身輕如燕

「今天眞是一肚子大便」本是窩囊至極的口頭禪，而今卻是醫生看診告知您的情形，怎麼辦？甘油、纖維素都幫不上忙，爲何？時代變了，人也變了，好吃懶動，挑嘴偏食，借助藥物，何不借助自己呢？運動其實是上好藥方，只是有許多人，總是太容易原諒自己的懶而不想動，以致便秘積習，未能適時排出，久而久之成爲病灶。再說忙碌的現代人，連吃都講求速度，胡吞亂嚥，殊不知下巴肌肉會透露咀嚼的動作，向大腦傳遞使它覺醒的訊息，換言之，多咀嚼可以適當地刺激大腦，使其免受壓力抑制，讓頭腦更加清晰。

另一方面，長期不適當的飲食對身體消化器官而言也是一大威脅。現代人生活緊張、飲食不正常、焦慮、熬夜、火氣大，造成腸胃火旺，演變成生活性便秘，而一旦便秘，就容易有宿便殘留，以致引發異常發酵造成腸道疾病，宿便毒素是身體器官的致病因子，易造成體內器官嚴重病變。

因此腸道要暢通，除了從正常飲食下手外，亦應改變您的生活作息，多運動，以促進血液循環、促進新陳代謝，預防便秘，讓您舒暢排便，身輕如燕。接下來介紹二個姿勢。

拔瓦斯式

做法：

1 平躺，做深呼吸。

2 雙膝彎曲，雙手環抱雙膝。

3 吸氣，頭離地，下巴拉靠近膝蓋，吐氣將腿抱緊，停留做深呼吸。

4 慢慢還原，調息。

效果：①此式能放鬆脊椎、減輕腰痛現象、消除疲勞。②因縮胸抱腿，在情緒的掌握就容易控制，且可增加安全感，達身心靈的平靜。③因腹部的按壓可解除便秘，排毒排廢氣，預防腹瀉、腹痛。④預防坐骨神經痛及下腿疼痛，並可強化腸胃，促進消化力。

注意事項：練習時，意識力可集中在丹田處，配合吐氣

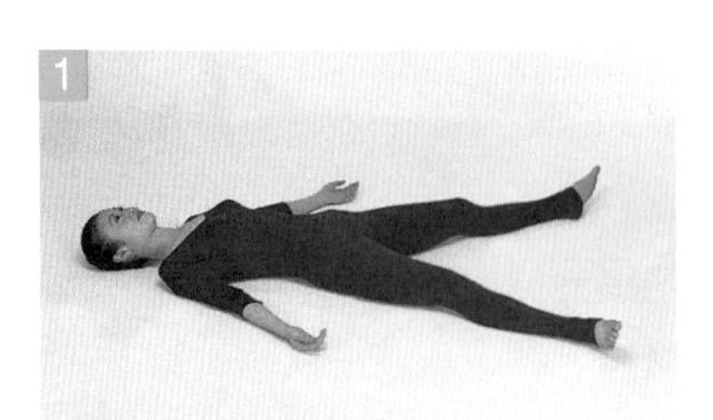

1

2

3

時縮腹，用力抱腿，效果會更佳，而剛練習者，或腹部贅肉多者，未能使下巴貼近膝蓋，不勉強，重點在腰脊和腹部按壓及雙小腿抱緊即可。

經絡穴位：此姿勢可按壓腹部及腰脊以下，雙手環抱腿可按壓到足部的穴位。

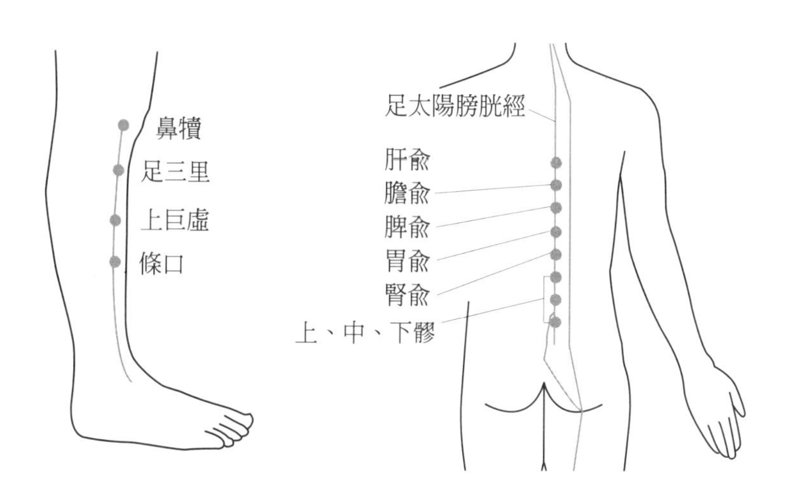

膝立側彎式

做法：

1 金剛跪立，做深呼吸，腰背挺直。

2 吸氣，左腳往左側伸直，吐氣，雙手向頭上方伸直且互握。

3 吸氣，上身慢慢向左側側彎，吐氣，停留調息。

4 還原，做深呼吸，再換邊做。

效果：①此動作可消除脇腹多餘贅肉，美化身體線條。

②可預防五十肩，強化肩關節。③可消除腿部多餘贅肉，美化腿型。④可預防便秘、下痢、下腹痛及預防糖尿病。⑤靠意識力的專注，可對身體有強烈感受及伸展，加強我們的意志堅強。

注意事項：側彎時，骨盆要正，不歪斜，且保持順暢呼吸去靠意識力的引導感受脇腹部位的牽引，這動作連初學者都會覺得很容易練習，加上您的用心，雖簡單但效果也是最佳的。

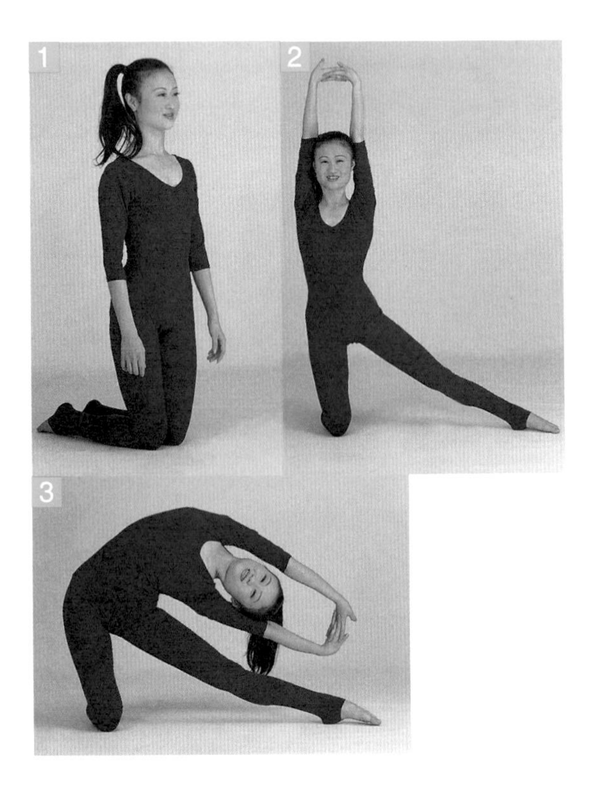

經絡穴位：此姿勢可徹底伸展到外腹斜肌、內腹斜肌及腹橫肌，屬足少陽膽經之筋骨肌肉。並強烈刺激到大橫穴及腹衰穴，可治便秘。

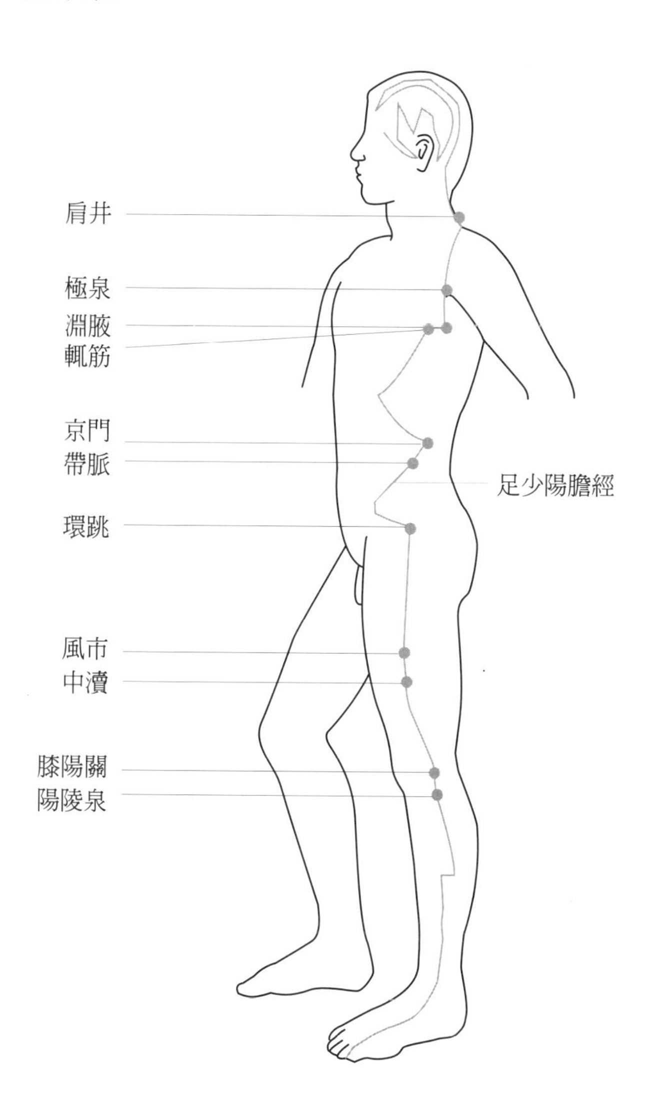

您性能力有退化現象嗎？

「性」福等於「幸」福您信不信？

國內知名家醫科謝瀛華醫師曾分析說：「性能力會隨年齡漸長而減弱，男人在二十歲時達到巔峰然後下降，而女人則在三十歲時達到巔峰，然後維持一段平衡期再緩緩走下坡。雖說如此，可是若年齡眞的會使性能力減弱，那在這世上仍存在的長壽村的人瑞，上百歲了仍然會有性生活，卻值得我們探討。我想最主要的是現代人的不當飲食生活習慣造成生育少、性能力減弱的主因，此外，運動量隨年齡而減少亦是主因，性與運動我相信亦是有直接影響的，性愛的建立與我們的大腦、內分泌自主神經均有密不可分的關係，而運動可促進血液循環，尤其以柔和的瑜伽運動來說更是適宜來改善身體的新陳代謝、刺激腺體、調整及強化恥骨尾骨肌肉的骨盆基部，進而增強性能力，提升性的敏感度，幫助性感覺的良好。千萬別做激烈的運動，運動量過多疲倦可會帶來反效果。」適度的練瑜伽柔和緩慢的配合呼吸，交替循序的進行，才能擁有幸福美滿的性生活。

吉祥式（合蹠式）

做法：

1 坐正，做深呼吸，兩腳彎曲，腳板碰腳板。

2 吸氣，身體慢慢向前彎下使其儘量接近地下顎貼地，停留數秒，做深呼吸。

3 還原，調息。

效果：①可強化性腺增加性能力。②消除腰部大腿內側贅肉。③使腳關節柔軟健壯，調整骨盤位置。④調整卵巢機能及生理異常。⑤促進血液循環，治低血壓及便秘。

注意事項：初學者由於筋骨彈性不好，無法讓身體盡力下降甚至下顎無法著地，不必灰心，只要每一次練習都要比前一次練習感到貼近即可，按部就班別操之過急。

經絡穴位：此式對大腿內側鼠膝處之穴位有刺激之功效，如氣衝穴、陰廉穴、足五里穴、陰包穴等，對生理機

能、性能力均有助益。

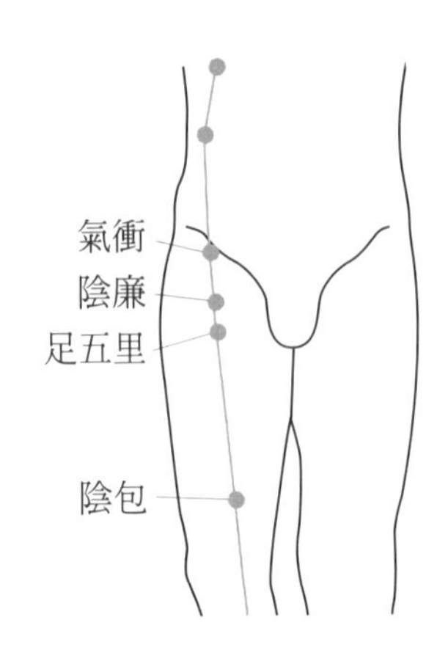

彈臀式

做法：

1 平躺，做深呼吸。

2 雙手左右打開，並彎曲手肘，雙手握拳並按壓在地上，雙膝彎曲，雙腳打開同肩寬度。

3 吸氣，臀部離地推高，推到連背部都離地，停留數秒，做深呼吸。再放鬆讓身體彈回地板上，重複做二至三回。

4 還原，調息。

效果：①促進全身血液循環。②活絡氣血。③強化內臟

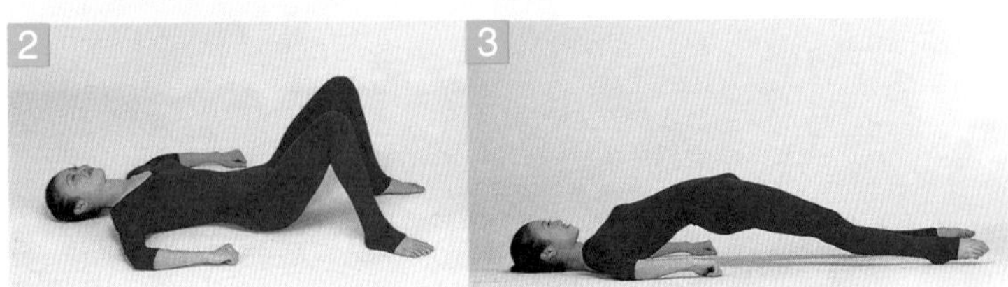

機能。④有減肥的功效。

注意事項：當身體離地時要將身體肌肉全身繃緊，同時臀肌用力夾緊，肛門用力縮緊，全身都緊實直到放鬆身體彈回地板時才完全將身體力量放掉，紓解緊實感。

經絡穴位：此動作將身體彈打在地上，就如同經絡穴位被拍打一般的按摩全身，可疏通全身之經絡解除疲勞、活絡氣血，同時肛門臀肌緊收對性功能將有強化之功效。此式屬全身性之養生動作應多練習。

您生理期經痛嗎？

婦女朋友的專利——生理期

國人平均八十歲的均壽，五十歲更年期，十三歲初經的報到，三十至四十年的時間，每月必須與其親密接觸，若未能「和氣相處」，作爲一個女人還眞痛苦呢！

簡單來說生理期乃是每個月發生在女性體內一連串複雜之荷爾蒙交互作用的結果，而生理期的主要問題是經痛與月經不規則。平日若能好好調理相信痛苦會遠離而去。

大約15～25％的婦女會有經痛的情形，最常發生經痛的年齡在十五至二十五歲之間，這階段的婦女有一半以上會有經痛的情形，而且其中15％會有嚴重的經痛。經痛程度輕微者，可能只是在行經期間感到不舒服，但嚴重者可能會使該女性在每個月中有兩天以上不能工作。經痛者會在腹部感覺到子宮抽筋般的疼痛，但疼痛也可能出現在背部或大腿內側，嚴重者甚至會出現嘔吐或腹瀉。

經痛通常只有在有排卵的月經週期出現，在沒有排卵時通常不會有經痛，子宮疼痛是由於子宮肌肉痙攣所造成的，而痙攣是由於子宮內膜所分泌的前列腺素所引起，前列腺素分泌的量不一定，而子宮肌肉對前列腺素的敏感程度也不相同，所以有的人不會發生經痛，而有的人卻有很嚴重的經痛。因此經痛與內分泌息息相關，而大部分月經不規則也是由荷爾蒙失調所造成。當然也有其他異常現象造成經痛及月經不規則，則應請醫師檢查，而若非特殊及嚴重的情況，我們應多做運動來保健身體，使身體新陳代謝正常，血液循環暢通，內分泌正常，相信即可避免因內分泌失調而引起的病痛，在此介紹瑜伽之站立獅式與鱷魚式來強化身體預防內分泌失調。

站立獅式

做法：

1 站立，調整呼吸。

2 雙腳打開與肩同寬，做深呼吸。

3 雙手放臀後方，吸氣上身緩慢後仰，吐氣，手順著腳跟方向下滑。

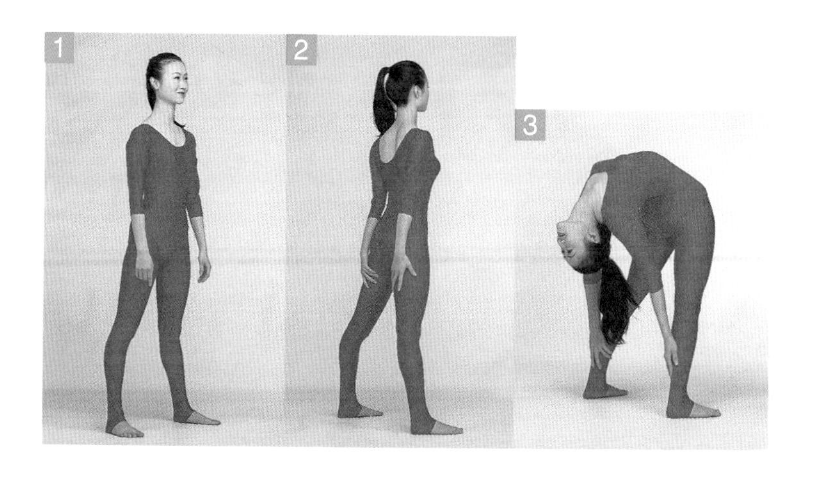

4 雙手抓著腳跟，此時可睜大眼吐長舌使用嘴做吐氣，停留做深呼吸。

5 吸氣，還原調息。

效果：①當此動作完成後保持自然的呼吸，調息，吸氣起身凝視一點，暫作歇息，此動作因擴胸可解除胸口鬱悶。②可使心情感到舒暢，身體更有活力。③可強化脊椎、美背、健胸，亦可預防關節炎、風濕症及怕冷症。④強化生殖器官，調整經期不順及預防生理期失調。

注意事項：初學者的您後彎不是那麼好時，可依自己身體的柔軟度進行，雙手抓不到腳跟，可放置臀後側、大腿或小腿上即可，不必勉強爲之。

經絡穴位：此式可伸展到胸肌、腹肌，刺激腋窩動脈、極泉穴、足太陽膀胱經及如圖之穴位而讓效果更顯著。

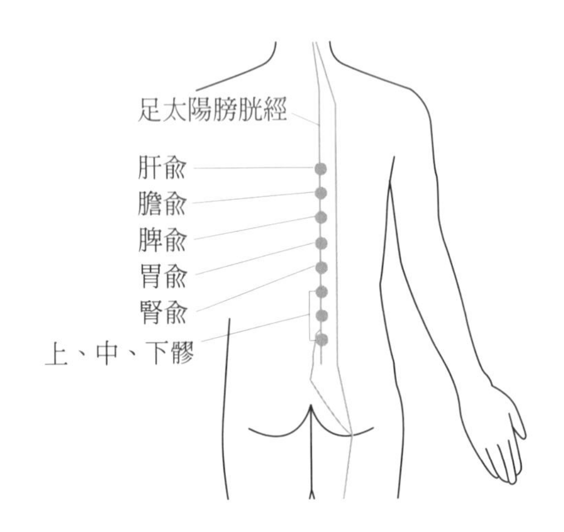

鱷魚式

做法：

1 平躺，做深呼吸。

2 雙手左右平伸，手掌貼在地板，做深呼吸，吸氣，左腳盡能力舉高90° 。

3 吐氣向右邊伸直下降，停留數秒，做深呼吸後，吸氣左腳回正緩慢還原。

4 吸氣，雙腿舉高90°吐氣雙腳同時向右側下降，停留做深呼吸後，吸氣，雙腳回正還原。

5 換邊再做一次。

效果：①修正背肌、腰肌之偏差。②有細腰之功效。③按摩腹部達健胃整腸。④強化生理功能預防生理期失調。⑤調整自律神經。

注意事項：練習此式時，當雙腳左右下降時腹部用力可充分的運動到肚臍，可使胸部的緊張消除，如此胃腸就能夠擴張亦有助自律神經的調整以及強化，因此意念可放腹部處來練習。

經絡穴位：由於此式可扭轉腰部處而間接刺激到腰以下包括骨盆，因此腰椎以下之肝俞、膽俞、脾俞、胃俞直到上、次、中、下髎均可刺激穴位而達最佳效果。

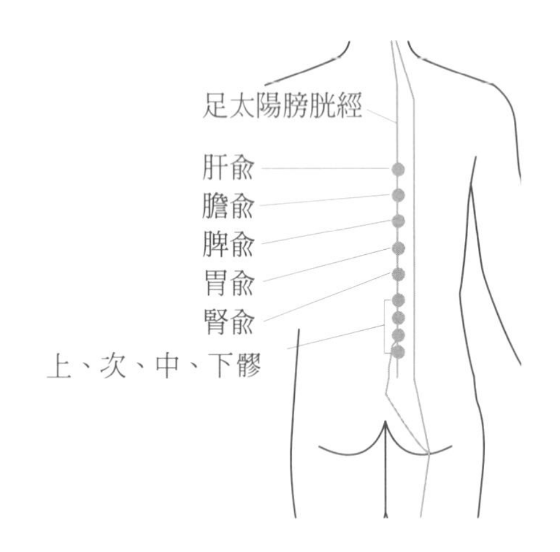

您罹患慢性疾病嗎？

健康DIY

納百川而成海好壯觀，納百病集一身好悲哀，不是嗎？健康必須靠平日的保養與鍛鍊。從衛生署的統計資料得知，國人平均壽命已是愈來愈長，可是健康卻亮起了紅燈。

生病主要是身體的免疫系統出了問題，抵抗力為之減弱致使病魔趁虛而入。要如何增強抵抗力呢？最好的方法就是鍛鍊自己的身體，醫學的進步只是事後亡羊補牢的措施，未雨綢繆才是明智之舉。瑜伽，一種古老而神秘好像又帶點宗教色彩的印象，相信一直是大部分人的認定，其實揭開神秘面紗只有四個字——健身美容。瑜伽老少咸宜，隨時隨地皆可練習，維護您的健康，但您必須謹記「持之以恆」是不二法門。

都會區的生活時間、空間，在在受到限制，有些人練到最後，總有力不從心的感覺，邱素貞瑜伽天地有鑑於此，除了多設教室讓大家方便練習以外，亦有一系列的瑜伽叢書方便讀者可自行在家練習，健康DIY持之以恆不信健康喚不回！

前彎式

做法：

1 站立，做深呼吸，腰背挺直。

2 吸氣，上身緩慢前彎。

3 吐氣，讓臉貼腿，停留調息。

4 還原，做深呼吸。

效果：①此動作因身體的前彎，可促進血液循環，消除疲勞。②可美容養顏，使人有精神有活力。③使身心靈開朗、健康、愉悅，預防慢性疾病的產生。④因腿部的徹底伸展到後腿筋，預防坐骨神經痛，修長腿部線條。⑤可預防腰痛及痔疾。

注意事項：初學者當動作完成時，無法將臉貼腿不必勉強，重點在雙膝不可彎曲，對腿部的刺激效果才會好，因此初學者絕不可勉強，只要保持腿是伸直的即可。

經絡穴位：可徹底伸到整個足太陽膀胱經，以及大臀肌，大腿肌，促進大腿及全身動靜脈的血液循環。

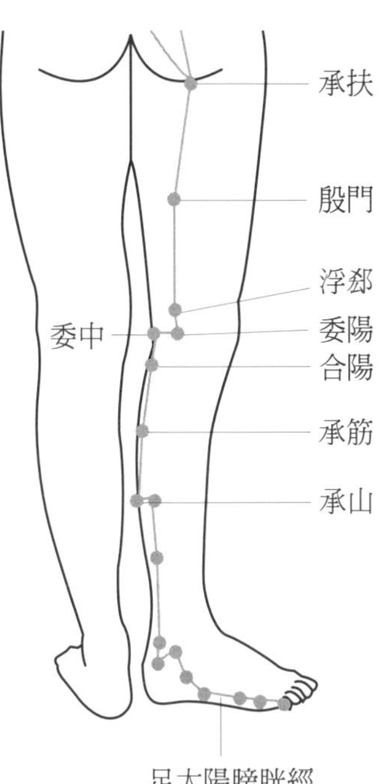

全弓式

做法：

1 趴下，調整呼吸。

2 吸氣，雙手抓住後腳板處，吐氣。

3 吸氣，上身離地，吐氣，雙手緩慢移到膝蓋處，曲膝足尖向頭方向。

4 停留，調息（身體可輕輕前後搖動）。

5 還原，放鬆，做深呼吸。

效果：①動作完成後，由於徹底的擴張胸部，可解除鬱悶，使心胸開闊、愉悅。②全弓式屬於全身之動作，並徹底刺激身體的手足經穴，可疏通全身氣血，活筋循環。③可感

受身體潛能的靈性，預防慢性病的入侵人體。④因腹部按摩到，可預防便秘，強化胃腸。⑤預防月經不順及生殖器官的疾病。⑥可糾正駝背不良的姿勢。

注意事項：初學者若肩膀僵硬，手無法抓到膝蓋處，可將手抓著腳背即可，意識力可集中在腹部丹田處，也就是肚臍下三公分左右，保持順暢的呼吸，並在停留時可前後搖動身體，但手足是儘量向上伸展用力的，可刺激手足部的經脈。

經絡穴位：可刺激任脈及手足經脈達預防慢性病的入侵人體，並增加抵抗力。

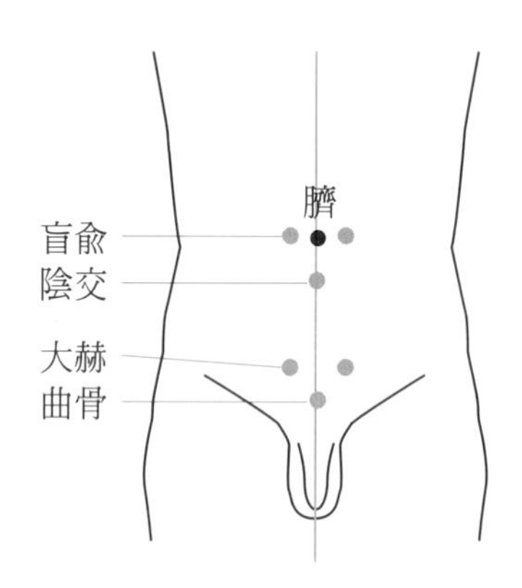

您怕寒冬皮膚乾裂嗎？

健康瑜伽指壓創美肌

在乾冷的天氣裡，最容易感到皮膚乾且粗糙，這不但不舒適，也有礙容貌的美麗。探討引起皮膚老化、粗糙的原因，不外是腎臟荷爾蒙分泌失調，或是皮膚血液循環欠佳。所以若想讓自己在冬季裡也能有細膩的皮膚，就必須想辦法促進皮膚的血液循環，並讓內分泌正常。下面介紹兩個姿勢，「雲雀式」、「豎立蓮花式」均對袪寒促進血液循環有佳效，在此並提供一種簡單而有效的手掌指壓法，不管是搭車、等公車、工作、讀書空檔或看電視……隨時隨地均可以乘機做如圖示的手掌按摩運動，輕而易舉地讓自己創造美麗光滑的肌膚，漂漂亮亮地度過寒冬！

防止肌膚老化的健康指壓

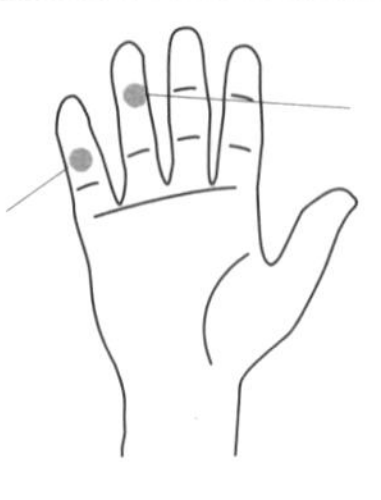

按壓手掌小指第一關節的腎穴，本穴道可促進內分泌的均衡發展，避免因腎臟內分泌失調，造成皮膚乾燥。

按壓手掌無名指第一關節的肺穴，本穴道可直接促進皮膚機能，幫助肌膚光滑。

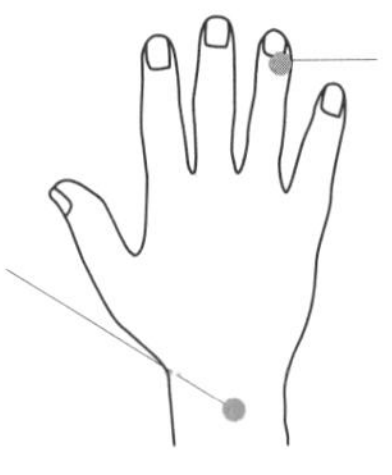

按壓手背手腕的陽池，本穴道可促進末稍的血液循環。

按壓手背無名指指甲右下邊緣的關衝，本穴道對促進皮膚的光滑細膩，有極大效果。

（注意事項）手掌佈滿通往身體各部位的神經，經常刺激，可強身保健。按摩方式，可先用一隻手指尖按摩，充分做完以上穴道指壓後，再改換另一隻手。或用成細的牙籤、髮夾、筆尖刺激均可。

雲雀式

做法：

1 跪坐，做深呼吸。

2 左腳彎曲，腳跟置於會陰下，右腳儘量往後面伸直。

3 做過深呼吸，感到平衡之後，兩手向兩側伸直，上身儘量往後仰，停留做深呼吸。

4 還原，換腳做。

效果：①由於擴胸後仰使僵硬的頸部獲得柔軟。②可訓練平衡感。③由於刺激腿和腰，對於腰椎下面有強烈的影響，因此可以禦寒。④可調整自律神經常練習，可使心胸寬廣開朗，情緒EQ控制的更好。⑤可強化腳的功能預防腳背痛、腳關節痛，促進全身血液循環良好。

注意事項：當動作完成時，如果重心不穩，可先止息，後仰後，重心穩定下來，再保持順暢的呼吸，暫時的止息，可幫助平衡更好，但重心穩後，一定要保持順暢的呼吸，才不會造成頭昏的現象。

經絡穴位：此姿勢可伸展及刺激身體之督脈及任脈；並按壓腳背而刺激如圖之各穴位。

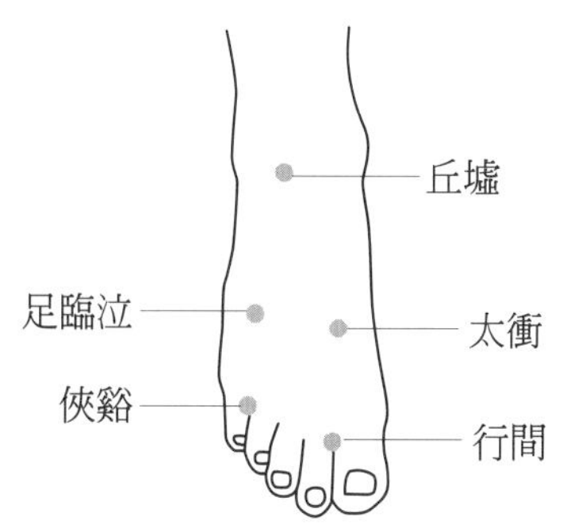

豎立蓮花式

做法：

1 站立，腰背挺直，做深呼吸。左腳彎曲，並將左腳板拉靠近右大腿上，並固定好，且身體重心放右腿上。

2 雙手合掌，停留數秒，做深呼吸。

3 還原，換腳做一次。

效果：①使腿顯出曲線美，身材變得優美。②可培養平衡感與耐力使心中平靜充滿優雅。③若常練習亦可在工作中或讀書時使身心容易統一產生集中力。④可增加體力預防袪冷症。

注意事項：當單腳獨立時，重心會不穩，請先靜下心來，若心浮氣燥重心越不容易穩定下來，同時可將腳拇趾用力亦可幫助平衡，動作完成後儘量配合深長的腹式呼吸法來練習效果更佳。

經絡穴位：此式的重點刺激幾乎都在獨立的腳掌上，可使腳底之湧泉穴、然谷穴等受刺激而達療效，同時腳底是整個內臟的反射區，因此對全身均能有疏通之功效，儘量配合呼吸法練習。

湧泉穴
然谷穴

您有關節炎嗎？

瑜伽幫助您消除這裡酸、那裡痛

關節在人體活動時，是操作身體靈活度重要的決定因素，關節好活動起來自然是輕鬆自在，若關節發生病變，則無法靈活的活動身體，同時這酸那痛的感覺也就不請自來了。

關節炎有可分爲變形性關節炎、增生性關節炎或退行性關節炎等，隨年齡的增加有不同的關節炎症狀，不過初期症狀多半只有酸痛，以清晨起床或久坐後立起時最爲明顯，活動片刻酸痛即可緩解，但活動過多或太激烈的運動，關節又負荷不了，嚴重時休息也感疼痛，甚至影響睡眠。同時，寒冷和潮濕也會使疼痛感加劇。中醫認爲關節炎係內傷於肝腎不足，外感於風寒濕邪、氣血失和、跌仆損傷及慢性勞損，均可導致氣血運行不暢，絡脈阻滯不通，病久則肝腎俱虧，筋軟骨萎，功能障礙，因此氣血運行應予以疏通及活絡，加強肌肉鍛鍊，促進血液循環，幫助萎弱的筋肌得以恢復，來預防關節炎，接下來介紹二式，多多勤練以舒筋活絡，促進氣血循環預防關節炎。

天秤式

做法：

1 跪立，左腳向前，跨一小步，做深呼吸。

2 雙手撐地板，雙腳向前後慢慢伸直，成劈腿，並將重心坐穩。

3 吸氣上身轉向左後方，吐氣，右手抓左膝蓋，左手抓右膝蓋，停留做深呼吸。

4 還原，調息後，再換邊做一次。

效果：①美化腿部曲線，消除多餘腿部贅肉。②纖細腰圍，增加關節筋骨的彈性及血液循環。③調整骨盆刺激自律神經。④預防神經衰弱及關節炎。

注意事項：此動作腿筋彈性要很好才能如圖所示，若您是初學者無法做到此式，可多練習海狗式或腿部筋骨伸展之動作，待腿筋有彈性後才練此式，勿勉強可防腿筋拉傷。

經絡穴位：此動作以腿部經絡之刺激爲主，對足太陽膀胱經及足厥陰肝經均有疏通之功效，同時於腰部之京門穴、帶脈穴亦有按壓之功效。

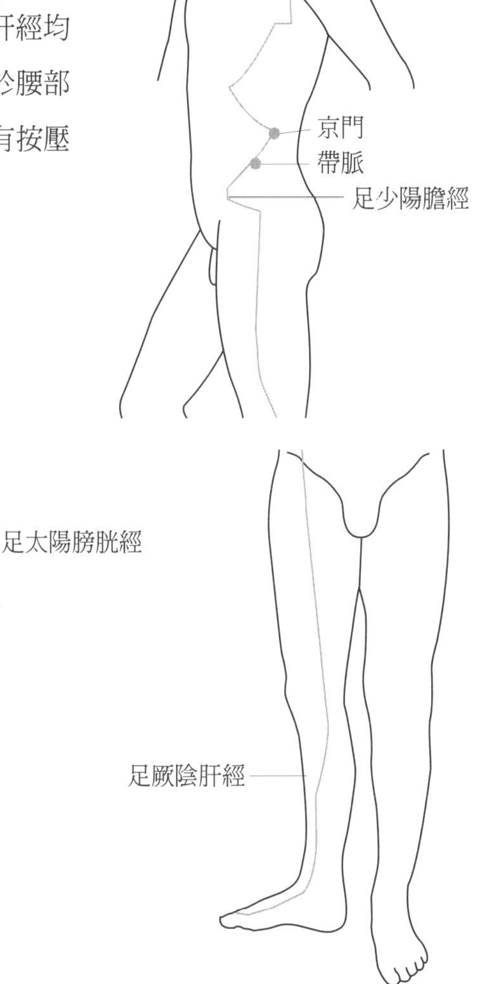

貓伸懶腰式

做法：

1 雙膝著地，雙手置於前方地板，手左右分開約同肩寬，做深呼吸。

2 吸氣，將背部弓高，右膝向頭方向內縮，頭也儘量向右膝方向內縮，吐氣，停留數秒，做深呼吸。

3 吸氣，右腳向後方拉開，且伸直，背部放鬆下陷感，此時頭儘量抬高往上看，停留數秒，做深呼吸。

4 還原，換腳做一回。

效果：①強化脊椎彈性，消除腰酸背痛。②增加身體柔軟度，矯正駝背不正姿勢。③強化關節，預防關節炎。④美

化腿部及臀部曲線，有減肥的功效。

注意事項：做圖 2 時應儘量將背部弓高頭腳內縮，做圖 3 時腳要盡力伸直膝蓋不可彎曲。體力夠內縮與腳伸直可來回多做幾回才換腳做。

經絡穴位：此式屬全身性之動作，對身體各經絡均可達疏暢之效果及促進全身血液循環，因背部的刺激對任督二脈亦有疏通之功效，宜常練習之養生動作。

您有坐骨神經痛嗎？

坐骨神經痛的診斷與預防

平躺一腳抬起，和身體成直角，若腰部會疼痛，即有坐骨神經痛。

緩和坐骨神經痛的健康要訣：

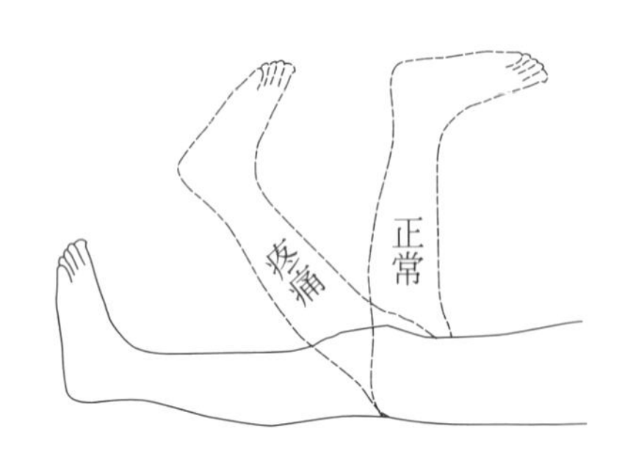

1.做做調整身體左右平衡的瑜伽體位法，勤練各姿勢。

2.提升足、腰部的肌力。

3.端正姿勢，避免背骨的偏斜。

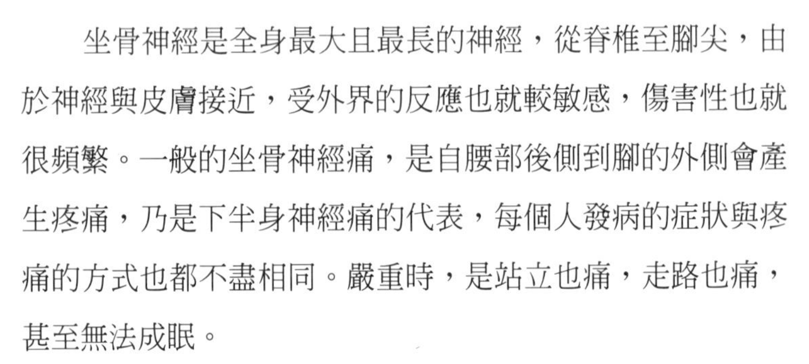

坐骨神經是全身最大且最長的神經，從脊椎至腳尖，由於神經與皮膚接近，受外界的反應也就較敏感，傷害性也就很頻繁。一般的坐骨神經痛，是自腰部後側到腳的外側會產生疼痛，乃是下半身神經痛的代表，每個人發病的症狀與疼痛的方式也都不盡相同。嚴重時，是站立也痛，走路也痛，甚至無法成眠。

此種疼痛，是由於背骨彎曲、腰部歪斜、骨盤位置的不齊、股關節的歪曲等原因，造成自腰部脊椎出來的坐骨神經受到壓迫，使下半身的知覺神經過敏所致。中年以上的人，椎間板老化，也易導致坐骨神經痛，長骨刺就是其中之一。

坐骨神經痛較多發生於經常使用身體單側之職業人士上，譬如從事農林漁業的作業員、保姆、護士等。另外運動過度亦會引起，特別是高爾夫球、網球、羽毛球、桌球等，凡經常從事過於激烈扭轉和回轉之運動的人士，最容易坐骨神經痛。

此外，未從事特別的職業或運動，而且背骨也正常的人，若肌力減弱也會出現伴隨著腰痛的坐骨神經痛。

一旦被診斷是變形性之脊椎症、椎間板突出、骨刺時，即應依醫師的指示做充分的藥物、物理或是開刀治療。若追究是工作或運動的原因導致時，即應謹慎做調理的瑜伽體位法。

若是由其他的原因所引起，則為了要改善足、腰部的歪曲，也應好好地做下面介紹之體位法，審慎地調整整個背骨，也是非常重要的。

瑜伽體位法中之身印式、左右分腿前彎式，以及其他可強化腰、足及調整骨盤之其他姿勢亦適合經常的練習，可使肌力復原，血液循環順暢，矯正腰、骨盤及腳的平衡，去除神經的壓迫。持之以恆地做，可達治療與預防的效果。

身印式

做法：

1 坐正，腰背挺直，做深呼吸。

2 吸氣，左膝彎曲，左腳板置放右大腿上，身體緩慢前彎，吐氣雙手抓腳板，停留數秒做深呼吸。

3 還原，換腿做。

效果：①此動作可徹底將後腿筋伸展開來，促進血液循環，預防坐骨神經痛。②預防腳關節疼痛及下肢疼痛。③預防下肢肌肉運動麻痺及腿部抽筋。④修長腿型、美化腿部（練習此式亦可將意識力集中在下腹丹田處，吐氣時用力收小腹，背椎向腳板方向伸展，可增進集中力的訓練，使心情易平靜）。

注意事項：腿部筋骨較沒彈性的初學者練習此式時，若身體還無法貼到腿部，不必勉強，只要感到後腿筋整個伸展到緊的感覺即達效果，不必勉強。

經絡穴位：此姿勢可徹底伸展開腿筋，同時刺激如圖所

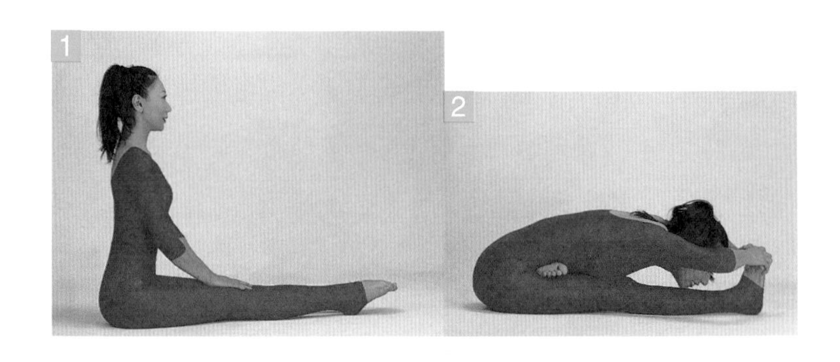

示之所有穴位而讓坐骨神經現象消失及美化腿部更有效果。

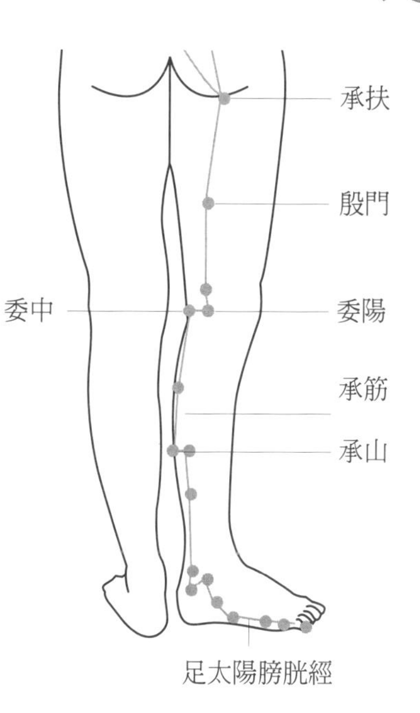

左右分腿前彎式

做法：

1 站立，做深呼吸。

2 吸氣，雙腿左右拉開，站穩，吐氣，上身前彎。

3 吸氣，身體盡能力前彎，雙手肘著地，停

留，做深呼吸。

4 還原，調息。

效果：①由於前彎，可將血液輸送至頭部，促進血液循環。②使頭腦清晰，精神氣爽。③可預防坐骨神經痛，修長腿部線條。④預防下腿部疼痛，增加腿筋彈性，預防抽筋。

注意事項：練習此式，當身體前彎而無法將手著地的初學者，只要放鬆身體，保持雙腿是伸直的，即可達效果，而練習較久腿筋的彈性也夠的，可使雙手手肘著地，甚至將手肘左右打開，感覺上半身放鬆，讓身體往地板方向接近，雙腿依然保持伸直，可感到腿筋拉的更緊，去找到鬆與緊的平衡點以享受身體與心的雙向溝通，專心感受身體，效果一定更佳。

經絡穴位：此式可徹底伸展大腿肌，並按壓及伸展到如圖之穴位經脈來使效果更好。

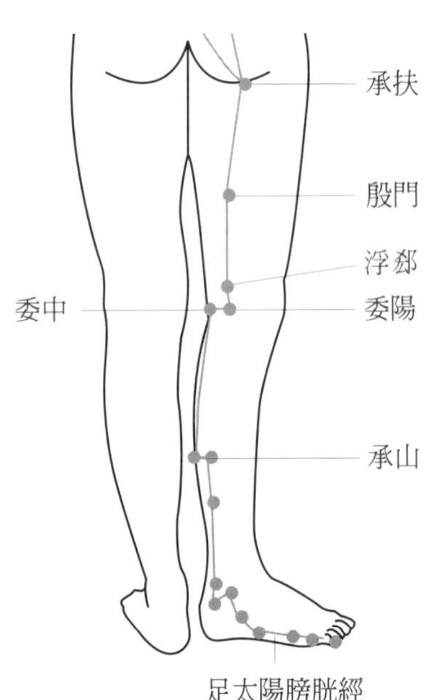

足太陽膀胱經

您有腿腫脹及抽筋現象嗎？

消除腿腫脹，修長雙腿瑜伽有妙方

粗而短的雙腿一直是東方女性揮不去的夢魘，於是有不少人迷你裙不敢穿，牛仔褲不願穿，緊身衣不能穿，種種的不適，不但愛美的心理無法滿足，也容易造成某些心理障礙，譬如優柔寡斷，裹足不前，甚至影響了辦事能力及處事態度。其實今天腿部的不勻稱，多半得怪自己，回想一下，是不是太久沒做運動，或是站、坐姿不當，造成雙腿腫脹，還是工作環境讓您不得不委屈自己的雙腿。如長期的「坐」在辦公室內及「站」著服務的業者，自然而然血液與脂肪往下累積、沈澱，想不擁有一雙肥壯的腿都很難，而要消除腿腫脹及擁有一雙修長的美腿並不難，即刻起身，開始勤練下面兩個動作，且持之以恆，就這麼簡單即可擁有美腿及消除腿腫脹，趕快身體力行哦！

膝立半弓式

做法：

1 跪坐，做深呼吸。

2 左腳向前跨一步，將身體重心穩下來。

3 右腳向後儘量伸直，身體重心儘量下降。

4 吸氣上身後仰，吐氣右腳膝彎曲，腳尖觸頭停留做深呼吸。

5 還原，調息。

效果：①當動作完成後，意識力可集中在呼吸中，配合呼吸來與身體溝通，可使人心神安寧。②同時可刺激腰部強化腰部，預防腰酸背痛。③因下半身的刺激可達袪寒效果，強化膝關節，強化腎功能及肝功能。④預防下腹疼痛及月經失調，預防關節炎，美化臀形。⑤因腿肌的刺激可消除腿腫脹及預防腿抽筋現象。

注意事項：當動作完成時，如果無法將膝彎曲觸頭，不必勉強，只要重心下降，將重心穩下來，後面之腳伸直即可，身體後仰停留做深呼吸即可。

經絡穴位：此姿勢可刺激到大腿肌及大臀肌而達按摩氣衝穴、足五里、曲泉穴等穴位及腰，亦可刺激到肓門、志室及上、中、下髎穴位等。

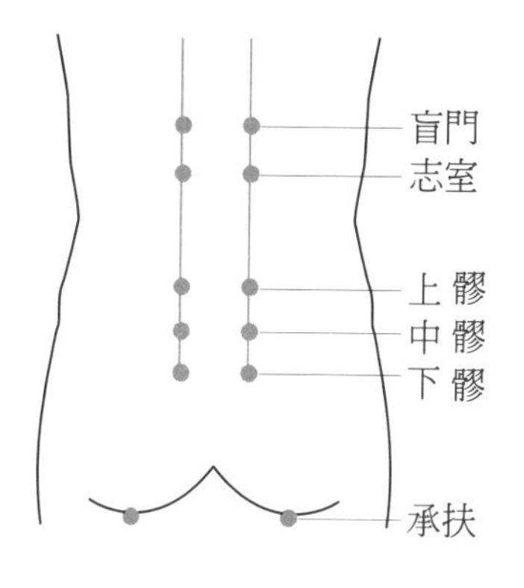

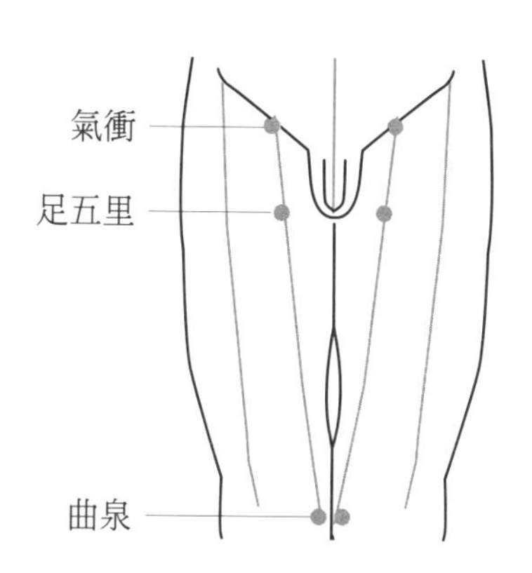

扭腰舒緩式

做法：

1 平躺，做深呼吸。

2 兩手左右平伸，雙膝彎曲右膝跨過左膝，右腳板由左小腿外反勾小腿處，吸氣，頭轉右側，雙膝往左

側，側倒，停留做深呼吸。

3 雙腳回正，左右換腳，朝反方向再做一次，停留做深呼吸。

4 還原，調息。

效果：①此動作可矯正腰椎的不正，有細腰的效果。②強化膝關節，預防關節炎、腰痛及大腿神經痛。③可消除腿部腫脹現象及預防腿筋抽筋。④消除脹氣、腹痛，預防便秘。⑤預防坐骨神經痛。

注意事項：練習此式，吐氣的同時，以腰為中心，上下半身不同方向伸展，肩與膝不一定著地，找到自己有感覺的角度停留，並保持順暢的呼吸去體會與感受自己的身體，用心去體會及享受身體的感覺。

經絡穴位：此姿勢可刺激到外側大腿迴旋動脈及大腿神經前皮枝外側大腿皮神經，及很徹底伸展開外側廣肌與大腿直肌。

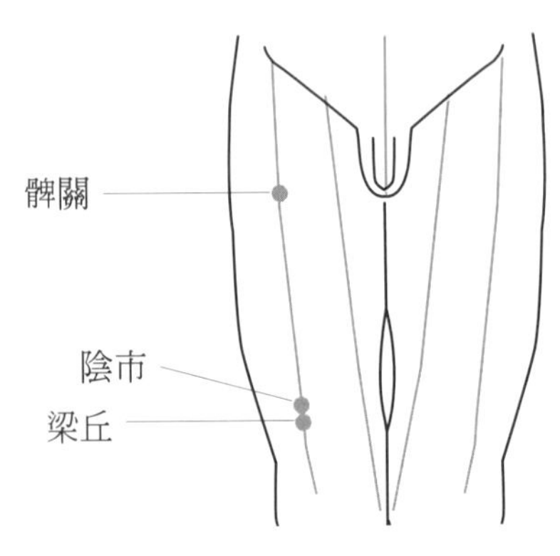

您爲克服更年期障礙而不適嗎？

瑜伽讓您的更年期不再是老化的代名詞

「更年期」這個幾乎等於老化的代名詞讓女人馬上感到自己年華即將老去，覺得不是滋味及有些恐慌，甚至感到不安全……這些感受的產生是很正常的，因爲沒有人喜歡「老」，因爲「老」代表著青春的逝去，所以要面對自己的「更年期」、面對自己要步入「老」年的心緒變化，當然很沒安全感，再加上體內動情激素及助孕酮的減少，全身器官都會有不同程度的反應，如面部潮紅、夜間盜汗、陰道乾燥、皮膚老化皺紋、易怒、失眠、易倦以及情緒低落等現象，甚至全身器官如乳房、骨骼甚至體型的改變。

不過請別慌張、擔憂，其實更年期並不是一種病，也沒有想像中這麼可怕及不適，只要我們能充分掌握醫療資訊，除了從專業的醫師中去瞭解，爲什麼您會面部潮紅，這時怎麼辦，如何治療盜汗、易倦，及控制自己的情緒尋求正確的醫療照顧，來防患於未然，將可改善更年期的不適，還可以以運動療法來幫助您更舒適的度過更年期，因爲規律的運動有益健康，對年輕人如此，對中老年人亦然，而最適合中老年人的運動，不外乎是瑜伽術了；瑜伽的練習可使我們心跳加速，肺部擴張，全身器官得到更充分的按摩及血流供應，來消耗我們過剩的熱量，使我們保持理想體重，同時藉著不同的特殊姿勢，保持體能的平衡、心靈的悅愉與詳和，使您留住青春，充滿活力，永遠性感。

如果您年逾四十五，正在擔憂如何面對更年期，在此要快快的提醒您，別只是想如何面對更年期，您應更積極的去計劃且要實際行動去規劃長期的瑜伽練習，越早計劃練習越能讓您永保青春，充分享受您的中老年人生，所有的瑜伽姿勢都有助於適應更年期的不適現象，在此舉出兩個姿勢，四角形式及海狗式，常勤練定能保持您的健康與青春，減緩更年期所帶來的種種不適。並希望在勤練瑜伽之外也要注意您的飲食原則，控制熱量攝取，避免過度肥胖，減少含鹽食物、含咖啡因食物，平常以少量多餐爲原則，並注意鈣的攝取量（每天一千五百毫克），多吃低鹽低膽固醇、高纖維、高碳水化合物之食物，記住以上的飲食原則加上規律的練習瑜伽及定期的身體檢查，一定可以維護您的健康，永保青春，讓更年期不再是老化的代名詞。

女人不怕更年期，就怕不瞭解更年期

動一動筆，保健您自己

更年期是45歲以上女性，體內逐漸缺乏雌激素所產生的生理現象，它會帶來種種不適症狀，爲了讓您進一步掌握自我健康，減低更年期可能帶來的困擾，請記得每月動一動筆，善用下列自我評估表。

0＝沒有　1＝輕微　2＝中等　3＝嚴重																		
熱潮紅	頭昏眼花	頭痛	暴躁	情緒抑鬱	失落感覺	精神緊張	失眠	異常疲倦	背痛	關節疼痛	肌肉酸痛	面毛增多	皮膚異常乾燥	性慾減低	感受度降低	陰道乾燥	行房時感痛楚	總積分

＊以上評分計算表，可幫您自我評估更年期症狀的嚴重性，一般而言，總積分如超過15分，極可能表示雌激素分泌不足，如有任何疑問，請諮詢您的醫生。

（資料提供：台北市政府衛生局）

四角形式

做法：

1 坐正，挺直腰背，做深呼吸。

2 左腳外翻，腳跟拉靠近大腿外側。右腳彎曲右手由內往外穿過膝蓋大腿下。

3 左手繞過頭上方與右手互握緊，停留數秒，做深呼吸。

4 緩慢還原，換邊再做一次。

效果：①調整骨盆強化生理機能。②預防生理期失調。③增加腿部及骨盆之彈性與柔軟度，美化腿部。④消除大腿內側贅肉，柔軟肩關節預防五十肩。⑤可調整自律神經。

注意事項：若骨盆僵硬、腿部筋骨沒有彈性者，練習此式可能感到吃力，但千萬別灰心，假以時日一定能練起來而感到輕鬆的。雙手無法伸至頭部側上方互握的只要雙手於胸前抱小腿且將小腿拉靠近胸部即可。

經絡穴位：此動作可促進全身血液循環並可疏通手少陰心經及足太陰脾經使效果更佳。

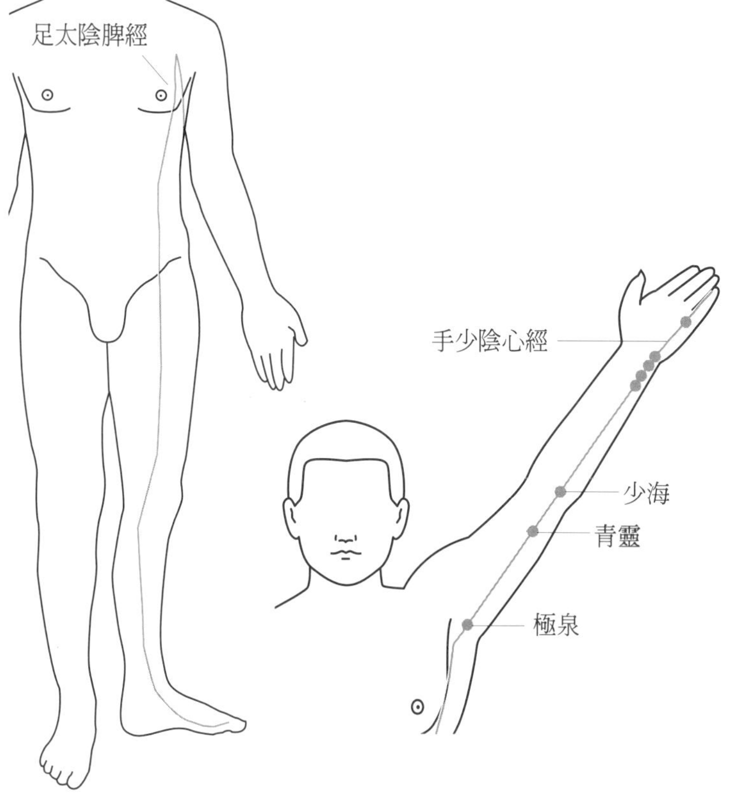

海狗式

做法：

1 坐正，腰背挺直，做深呼吸。

2 右腳彎曲，腳跟拉靠近會陰處，左腳伸直，吸氣，彎曲左腳，雙手抓住左腳板，吐氣。

3 用左手肘將左腳板、腳尖勾住，右手繞過頭上方，讓雙手互握，停留數秒，做深呼吸。

4 還原，換邊做，調息。

效果：①強化大腿及小腿肚。②使腰纖細柔軟，調整骨盆。③有祛寒的效果，預防生理期失調。④改善更年期的不適。

注意事項：初學者可能因肩關節及腿部筋骨都較僵硬而使您無法如圖來施行，不必氣餒，當動作無法如圖 3 時可停留在圖 2 即可，待您的筋骨較有彈性時才漸進練習圖 3 。

經絡穴位：海狗式可刺激到手太陽小腸經及足太陰脾經，同前面所介紹之四角形式，同時此式亦可刺激側腰部的穴位 及按壓內臟而使腎、肝臟機能活化。

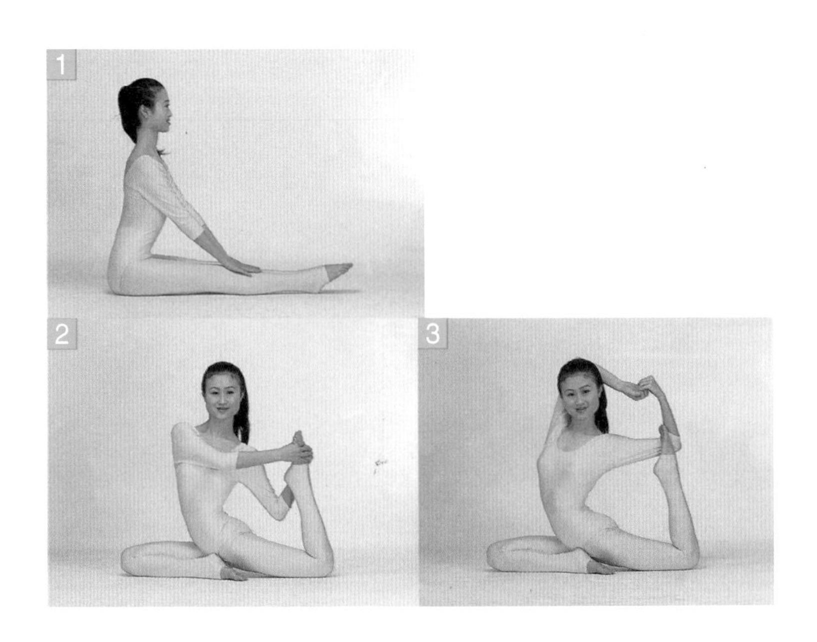

您常頭昏眼花、貧血嗎？

瑜伽運動儲存您的血本

貧血並非補血即為了事，在過去物質缺乏的農業社會，貧富相差懸殊，貧戶物質總是缺乏，貧血機會相對提升，而今營養已不虞匱乏貧血人口亦相對減少，但貧血人口還是存在，其原因有減肥節食所造成營養攝取的不足、偏食、與生俱來並非與飲食有關之貧血等，故並非是貧血補鐵即可萬事OK。

配合醫師的診斷服藥與自我的運動，做一個配合的病人，相信頭昏眼花將會棄您而去。而運動的選擇不得不慎，貧血的病人，由於紅血球的異常，攜氧功能亦會有所影響，致使造成缺氧、心跳加快、四肢無力、頭昏目眩、意志不集中，若施以不對等之運動，名以健身實為要命，故須深思熟慮。「瑜伽」是一種柔和的肢體活動，一舉手一投足，一吸一納充分的讓您享受到可接受不過載又是可活絡的運動。接下來介紹犁鋤式、金頂式，均對貧血有助益，多練習，讓瑜伽運動來儲存您的血本預防貧血及頭昏眼花哦！

犁鋤式

做法：

1 平躺，做深呼吸。

2 吸氣，雙腳向上緩慢舉高。

3 吐氣，雙腳向頭上方，讓腳尖著地，雙手扶背部，停留，調息。

4 慢慢還原，放鬆，調息。

效果：①伸展後頸椎，可消除肩頸疲勞，亦可促進甲狀腺分泌平衡。②調整自律神經，達到穩定情緒、心靈啓發的功能。③可防內臟下垂，強化體力，有整脊之效。④屬全身之動作，促進血液循環，預防貧血及頭昏眼花。⑤強化體質，解除腰酸背痛。⑥治坐骨神經痛。

注意事項：初學者若剛開始練習無法將腳尖於頭上方著地，不必勉強，假以時日之練習可漸進進步。

經絡穴位：此姿勢屬於全身性之動

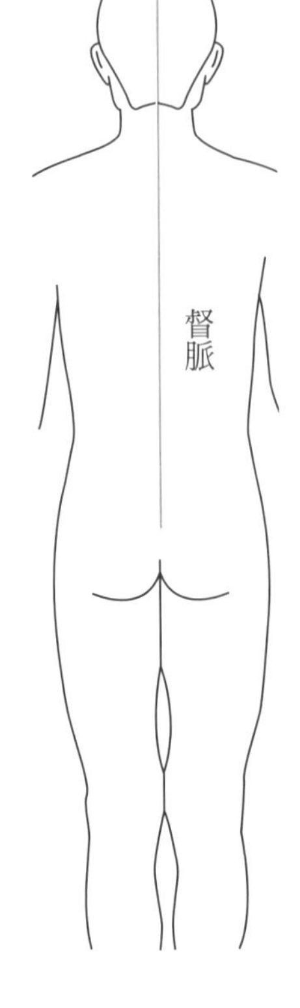

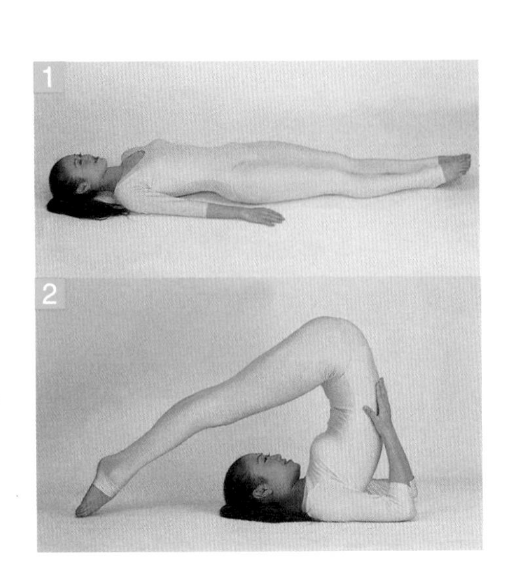

作，並可刺激整個身體之督脈。

金頂式

做法：

1 跪坐，做深呼吸。

2 讓頭緩慢著地，雙手置頭下方雙側，手掌心撐穩地板，膝蓋離地，頭、手固定好，雙腳尖慢慢往前走，做深呼吸。

3 彎曲膝蓋，並使膝蓋放置於手肘上，雙腳尖也跟著離開地板，停留數秒，做深呼吸。

4 還原，調息。

效果：①藉由地板來刺激頭頂之每個穴位，以達預防貧血及頭昏眼花之現象。②徹底配合著呼吸進行此式亦可使人心神安寧，解除失眠及壓力。③預防腦神經衰弱。④血液循環暢通使人神清氣爽增強自信心，預防老化。

注意事項：有嚴重高血壓者請勿練習此動作，初學者剛練習而無法將膝蓋放置手肘上，不必擔心及勉強，可停留在動作2即可達相同的療效，切記不要勉強爲之，同時練習過程中有感頭昏噁心者動作不必停留太久，採緩慢漸進式練習假以時日必能進步。

經絡穴位：此姿勢可徹底刺激頭頂百會穴、前頂穴等各穴位而讓療效更佳。

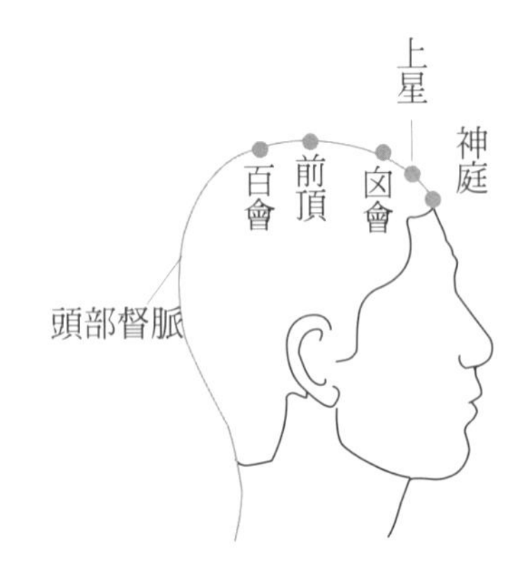

您有高血壓症狀嗎？

壓力處理不當易引起高血壓

高血壓引起的病變，向來被視爲國人頭號隱形殺手。根據世界衛生組織所訂收縮壓超過160舒張壓超過95即爲高血壓。一般人忙於三餐糊口，縱使稍有不適，也總以休息休息就沒事了之，筆者在此必須愼重提醒親愛的讀者，擁有健康才是財富，高血壓若不予治療所帶來的後果，相信絕非您我家庭得以承受。

高血壓的治療因人而異，長期服用藥物，總是免不了的，唯有如此才能有效控制血壓，對於輕度高血壓的病人以及預防高血壓病況的人，可以低鹽飲食來減輕體重減輕壓力，多運動少緊張，少喝酒，保持情緒的穩定，均有良好之效果，又以繁碌的工商社會人要完全排除壓力還眞有點困難，但應做到儘早釋放壓力，避免壓力積存。紓解壓力的方法雖然很多，在此我們誠摯的介紹您可藉由心情的變換及簡單的瑜伽運動來排除。特別是那些只知工作、唸書、缺乏運動的人，更應該多做運動。

天鵝式

做法：

1 站立，雙腳尖併攏，做深呼吸。

2 腰與腿挺直，右手插腰，彎曲左腿，用左手抓住左腳

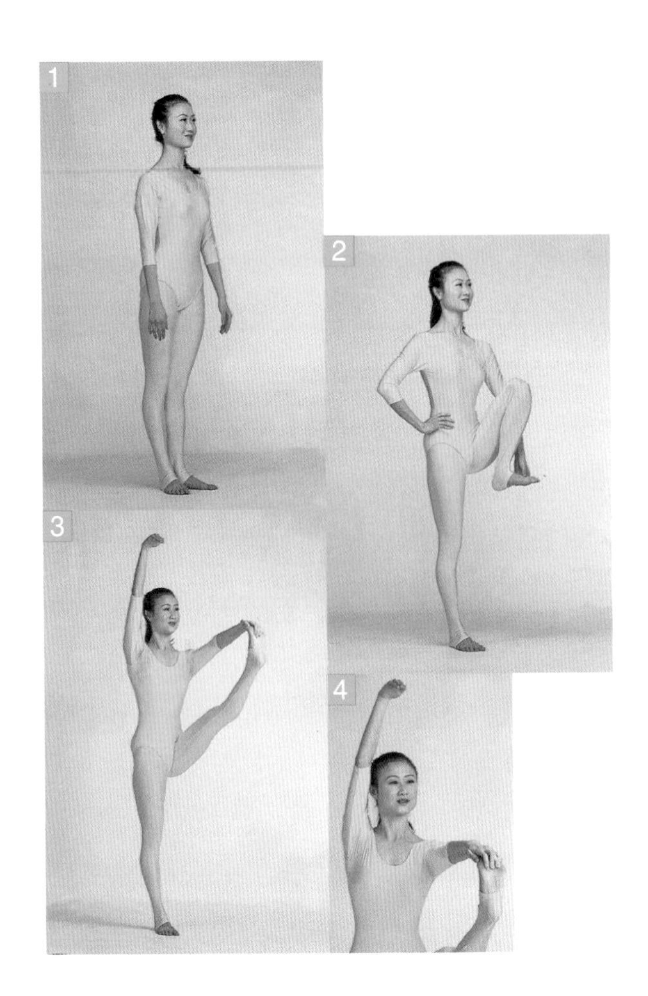

尖，調息。

3 以左手抓著左腳掌的姿勢，慢慢再將膝蓋伸直，且儘量抬高腳，做深呼吸。

4 儘量將身體重心穩定下來，再將右手向頭上方伸直並彎曲成天鵝的頭，雙腿伸直，停留數秒，做深呼吸。

5 還原，放鬆調息，換腿做。

效果：①能使腿部肌肉繃緊，形成富有曲線的雙腿，俗語說「衰老從腿部開始」，常練此式可強化腿力及膝關節。②可預防風濕痛、關節炎及腿抽筋現象，增強體力、訓練平衡感。③預防高血壓、心悸並可穩定情緒預防壓力及失眠。

注意事項：練習時雙腿儘量伸直且保持長久，若有重心不穩者可稍做止息，站穩後才做深呼吸，以圖 3 左手抓左腳掌時手可按壓在腳掌之湧泉穴位處來達按壓穴位之功效。

經絡穴位：刺激足部湧泉穴可主治高血壓症、腎疾病、心悸過速、神經衰弱。

駱駝變化式

做法：

1 金剛坐，腰背挺直，調整呼吸。

2 吸氣，雙膝打開同肩寬，臀部坐地板上吐氣，吸氣，雙手向上伸直，吐氣感到背脊、手臂拉直。

3 吸氣擴胸，肩胛骨夾緊，雙手往背後，並用手掌按壓腳底湧泉穴，吐氣，吸氣，臀夾緊，離地，腹臀往前推開，停留數秒，做深呼吸。

4 還原，調息。

效果：①此動作因強力擴胸可使身心感到愉悅、開朗。②可強化氣管、肩關節，預防感冒。③預防五十肩，矯正駝背。④可治腰酸背痛及腎疾病，強胃強腎。⑤防高血壓、心悸及神經衰弱。

注意事項：後彎較差的初學者，若無法用手壓湧泉穴，不必勉強，可墊腳尖，雙手抓住腳跟來練習即可。

經絡穴位：可刺激足少陰腎經的各穴位及如圖之各穴脈。

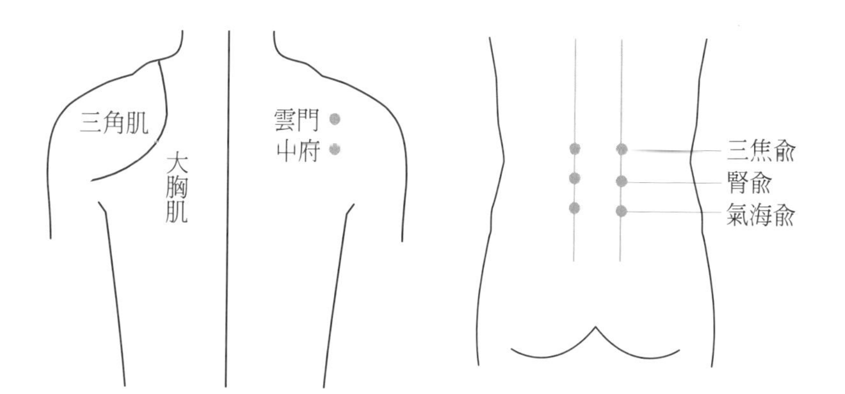

您腹部贅肉無法消除嗎？

消除贅肉，驚艷一夏

有道是「佛要金裝，人要衣裝」、「一衣遮身醜」，雖然衣服可以修飾不夠勻稱的身材，可是您若頂著一個凸出的小腹，那可就連衣裳都遮掩不了了。談到腹部贅肉，一般人都知道它也是肥胖的記號，不過要如何選擇適當有效的方法來消除贅肉？除了節食外，市面上多的是燃燒脂肪贅肉的塗抹藥霜、凝膠、體雕以及成藥等，琳瑯滿目多得讓人不知如何選擇。如果您採用的方法是努力的塗抹或吃藥，有效的則在此恭禧您，若無效甚至是塗抹出副作用來的，可就得不償失了。因此，在此特別推薦您使用瑜伽體位法來消除贅肉，除了能見效外，既經濟又實惠。瑜伽體位法中的V字變化式及滑翔式，可配合呼吸法的進行，讓身體獲取足夠的氧氣，這樣對於消耗熱量、燃燒脂肪將有很大的幫助，多多練習保證能除腹部贅肉，使腹肌恢復彈性與細膩，讓您今夏能露一下小蠻腰及可愛的肚臍眼，讓您身邊的所有人驚艷一夏。

V字變化式

做法：

1 坐正，腰背挺直，做深呼吸。

2 吸氣，雙手向上伸直，腳背壓緊，吐氣感到背脊、手臂拉直。

3 吸氣，雙手左右打開。

4 吐氣，雙手背後互握手肘不可彎曲。

5 吸氣雙手掌著地，腰背挺直，雙手緩慢向後方推到極限，吐氣。

6 吸氣，雙腳離地，停留做深呼吸。停留數秒後緩慢還

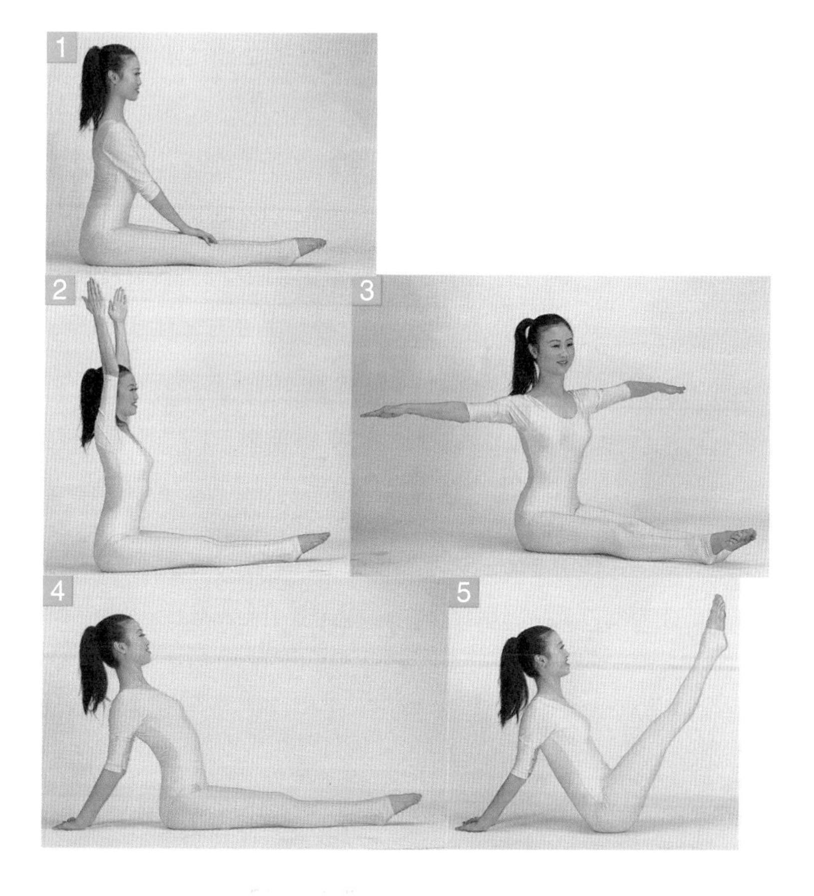

原，調息。

效果：①當此動作完成時，意志力可集中在下腹部丹田處不斷的告訴自己，您可以用力，可激發自己的意志力與潛力。②讓心靈堅強，有意志力及增進自信。③可預防五十肩、肩關節周圍炎，強化氣管，美化手臂。④消除腹部贅肉，增強腹肌力氣，強腹固腰。⑤預防腰痛、坐骨神經痛及痔疾。

注意事項：練習此式時，尤其有肩關節僵硬的人，練習時不必勉強，否則容易傷到大胸肌及三角肌，只要感到自己的身體練習時有刺激點即可達到效果。

經絡穴位：此姿勢伸展到大胸肌及三角肌，以及大臀肌、腹肌均有刺激到，同時按壓到中府穴、雲門穴可防肩關節周圍炎，及按壓到上、中、下髎穴位對婦女疾病有特效，並同時因承扶穴的刺激可治腰痛、坐骨神經痛及預防痔疾。

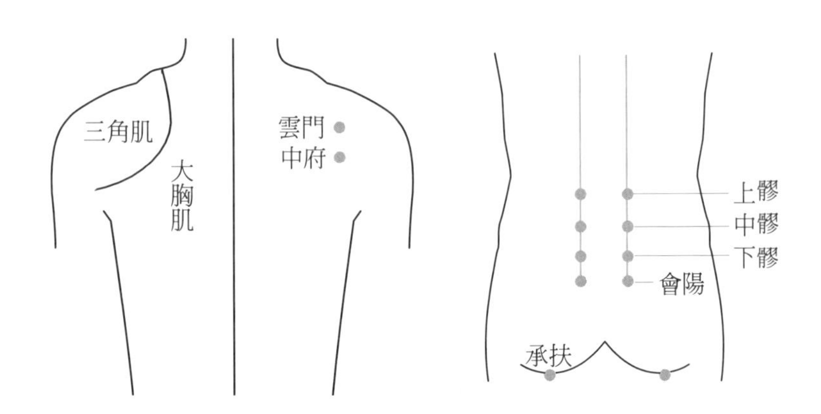

滑翔式

做法：

1 坐正，腰背挺直，做深呼吸。

2 吸氣，雙膝彎曲，吐氣，雙腳離地，舉起小腿讓膝蓋、小腿、腳板與地板成平行一直線。

3 吸氣，雙手左右打開，吐氣，腰背挺直，停留做深呼吸。

4 再緩慢還原，調息。

效果：①增加腰力與消除腹部贅肉。②訓練耐力與平衡感，增強體力，改善體質。③消除腰酸背痛預防坐骨神經痛及痔疾。

注意事項：動作完成後意念放腹部處，盡自己的體力施力，並可勉強自己多停留數秒，以讓腹部、腰部多施點力，對燃燒腹部脂肪更有效果。

經絡穴位：此式因臀部為著力點，可刺激尾骨之會陽穴及臀部之承扶穴，因此對腰痛及坐骨神經痛或痔疾均有預防效果。

編後語

「鍥而不捨，金石可鏤」任何事情抱著持續的心態，要想不成功也難，不是嗎？身體髮膚受之父母，日後健康與否還必須靠著自己的鍛鍊。羅馬並非一日而成，只要能持之以恆，滴水亦能石穿。健康、美麗與氣質，都是我們所希望擁有的，雖有點強求，但卻又是那麼理所當然。時下健身美容比比皆是，如何選擇自己所適合的，卻是難上加難，畢竟廣告的威力太大了，讓我們失去眞實的判斷，是以，我們不虛僞誇大與強調如何強身治病，我們只強調身心的調理與疾病的預防。如同衆所周知，老王賣瓜說瓜甜，更何況這是一本書，而非廣告，我們有一份責任與道義，讓讀者能深入明瞭，一本好的工具書，將會使您受用無窮。在此藉由這本書的推出，讓您認識了新的一種運動方法，假以時日，請把習得的心得與成果與衆親友共享之，不是很好的一件事嗎？

別再感嘆白雲蒼狗，歲月的消逝我不再年輕，昔時終日奔波，體力應付自如，而今是否眞如老之將至，身心俱乏的衍生物。昔時粗衣布食，日出而作日入而息，倒也過得身體健康安居樂業，而今悔未能於年輕及時保養，不勝唏噓。屈指算算實不服輸，老驥優不歷志在千里；烈士暮年壯心不已，何等雄心壯志怎奈時不我予，心有不甘又能如何呢？若不想老之將至不勝唏噓，面對健康又交白卷。親愛的讀者們，請拿出決心，坐而言不如起而行，身體力行去實踐。

附錄

(一)理想健康檢查之建議

理想健康檢查之建議

年齡	間隔時間
20～30歲	每5年一次
30～40歲	每3年一次
40～50歲	每2年一次
＞50歲	每1年一次

定期癌症篩檢之建議

定期檢查方法	年齡	時間
肛門指檢	＞40歲	每1年
大便潛血檢查	＞50歲	每1年
大腸鏡檢查*	＞50歲	每3～5年
胃鏡檢查(胃癌之早期篩檢)	＞45歲	每1年
腹部超音波檢查／肝硬化病人	＞40歲	每1年／每5～6個月1次
子宮頸抹片檢查**	20～65歲	每3年
婦科檢查	20～40歲／＞40歲	每3年／每1年
乳房自我檢查	＞20歲	每1月
乳房門診檢查	20～40歲／＞40歲	每3年／每1年
乳房攝影**	＞50歲	每1年

*最初檢查發現有腺瘤者，隔一年後重檢一次，如檢查結果是正常的，則以後每三至五年一次。

*最初兩次(間隔一年)檢查均正常者，以後每三年一次。

(資料提供：美國癌症協會)

(二)「自主神經失調症」自我測試法

「自主神經失調症」自我測試法

最近，不僅是更年期女性，中高年男性及年輕人間有頭痛、頭暈、肩痛、心悸等原因不明症狀者愈來愈多。

這些症狀可能是身體某處隱藏疾病，但很多卻找不出異常處，醫學家們將其稱爲「自主神經失調症」。

以下是針對此症常見傾向所作問卷，請依您個人狀況確實回答。

※請以◯標示您心中的答案

◇有關自主神經症狀之問題◇

1.常常耳鳴。……………………………………是　否
2.胸部、心臟處有被揪扯的感覺。………………是　否
3.胸部、心臟處有壓迫感。………………………是　否
4.常感心悸。……………………………………是　否
5.心臟像抓狂似的快速跳動。……………………是　否
6.常常氣喘。……………………………………是　否
7.比一般人容易氣喘。……………………………是　否
8.偶爾連坐著也會氣喘。…………………………是　否
9.即使夏天手腳仍冰冷。…………………………是　否
10.手、腳指尖呈紫色。……………………………是　否
11.有想吐、嘔吐現象。……………………………是　否
12.因胃機能不佳而憂心不已。……………………是　否
13.因消化不良而煩惱。……………………………是　否
14.常鬧胃痛。……………………………………是　否
15.飯後或空腹時胃痛。……………………………是　否
16.常沒食慾。……………………………………是　否
17.常腹瀉。………………………………………是　否
18.常便秘。………………………………………是　否
19.肩膀、頸部酸痛。………………………………是　否
20.腳慵懶無力。…………………………………是　否

21.手無力。……………………………………是　否
22.皮膚容易過敏。………………………………是　否
23.臉部容易泛紅。………………………………是　否
24.冬天也易汗流浹背。…………………………是　否
25.皮膚常出皮膚疹。……………………………是　否
26.常頭痛。………………………………………是　否
27.常因頭重、頭痛而悶悶不樂。………………是　否
28.常有嚴重頭暈傾向。…………………………是　否
29.身體一下變冷一下變熱。……………………是　否
30.有彷彿要暈倒的感覺。………………………是　否
31.至今曾有二次暈厥經驗。……………………是　否
32.身體某處有發麻、疼痛現象。………………是　否
33.手腳顫抖。……………………………………是　否
34.身體一緊張就冒汗。…………………………是　否
35.常覺精疲力盡。………………………………是　否
36.一到夏天，身體就嚴重發懶。………………是　否
37.一工作就疲憊不已。…………………………是　否
38.早上才起床，就覺得很累。…………………是　否
39.僅做一點事就感疲倦。………………………是　否
40.會累得毫無食慾。……………………………是　否
41.身體狀況常隨氣候變化而改變。……………是　否
42.被醫生稱爲特異體質。………………………是　否
43.搭車（船、飛機）會暈車。…………………是　否

請將上述是、否之答案數統計一下，列於右框框中。　□　□

◇有關精神症狀之問題◇

1.考試或被詢問時會冒冷汗、顫抖。……………是　否
2.長輩一靠近就緊張得發抖。……………………是　否
3.只要有人盯著你看，事情就做不好。…………是　否
4.事情一緊急，頭腦就混亂不清。………………是　否
5.事情雖少，但一急就容易出錯。………………是　否
6.常誤解上司的指示、命令。……………………是　否
7.對自己陌生的事物常感不安。…………………是　否

8.身旁無熟識者就惴惴不安。……………………是　否
9.常無法下定決心。……………………是　否
10.希望身邊隨時有個可以傾訴的對象。……………………是　否
11.總覺得別人不理睬你。……………………是　否
12.在別人家吃飯深感痛苦。……………………是　否
13.參加餐會時，總有被冷落的孤獨感。……………………是　否
14.常覺得自己很不幸。……………………是　否
15.很容易掉眼淚。……………………是　否
16.認爲人生毫無希望可言。……………………是　否
17.想一死了之。……………………是　否
18.常有鬱卒的心情。……………………是　否
19.家中亦有鬱卒的人。……………………是　否
20.一點芝麻小事就怒不可遏。……………………是　否
21.別人都認爲你很神經質。……………………是　否
22.家中亦有人很神經質。……………………是　否
23.曾患有嚴重神經症。……………………是　否
24.家中曾有人患神經症。……………………是　否
25.曾住過精神病院。……………………是　否
26.家中曾有人住過精神病院。……………………是　否
27.是動不動就害羞、神經過敏的人。……………………是　否
28.家中亦有動不動就害羞、神經過敏的人。……………………是　否
29.容易得罪人。……………………是　否
30.一遭人批判就方寸大亂。……………………是　否
31.在別人眼中是個不好侍候、難以取悅的人。……………………是　否
32.常被人誤解。……………………是　否
33.連朋友也處處提防。……………………是　否
34.容易緊張、煩躁。……………………是　否
35.常常說不緊張，但轉瞬間就倉惶失措。……………………是　否
36.即使只是一點小事，情緒就難以隱藏。……………………是　否
37.受別人干擾就心煩氣躁。……………………是　否
38.事與願違時，就緊張、憂心不已。……………………是　否
39.常亂發脾氣。……………………是　否
40.身體常顫抖。……………………是　否

	是	否
41.常常處於焦慮狀態。	是	否
42.會被突來的聲音嚇的跳起來。	是	否
43.受大聲斥責時會嚇的縮成一團。	是	否
44.半夜常有一些突然而來的聲響。	是	否
45.常被惡夢驚醒。	是	否
46.腦海中常浮現恐怖的思緒。	是	否
47.常常沒由來的害怕。	是	否
48.常突然發冷、冒汗。	是	否
請將上述是、否之答案數統計一下，列於右框框中。	□	□

現在此份問卷至此暫告一段落，接下來讓我們看看自己是否合乎健康標準。

診斷方式：

☆自主神經症狀、精神症狀「是」之答案在10個以下者
——正常

☆自主神經症狀「是」之答案在11個以上，精神症狀「是」之答案在10個以下者
——自主神經失調症型

☆精神症狀「是」之答案在11個以上，自主神經症狀「是」之答案10個以下者
——神經症型

☆自主神經症狀、精神症狀「是」之答案皆在11個以上者
——心因性自主神經失調症

若您有上述現代病的煩惱，請您別慌，邱素貞瑜伽天地將幫您度過煩惱期。

（資料提供：邱素貞瑜伽天地）

（三）乳癌自我檢查法

乳癌自我檢查法首先注意下列幾種的異狀：

1.乳部上任何無痛腫瘤。

2.乳房變形。

3.兩邊乳頭高低不一樣。

4.突發性的乳頭下陷。

5.乳房上任一部有凹陷現象。

6.乳頭有血或其他分泌物。

7.乳房上有不收口的傷口。

8.腋下有無痛腫瘤或腺腫。

檢查方法：

1 首先站在鏡子前面，兩手下垂，看看兩邊乳房有無相異之處，如一邊大一邊小、一邊高一邊低及變形之

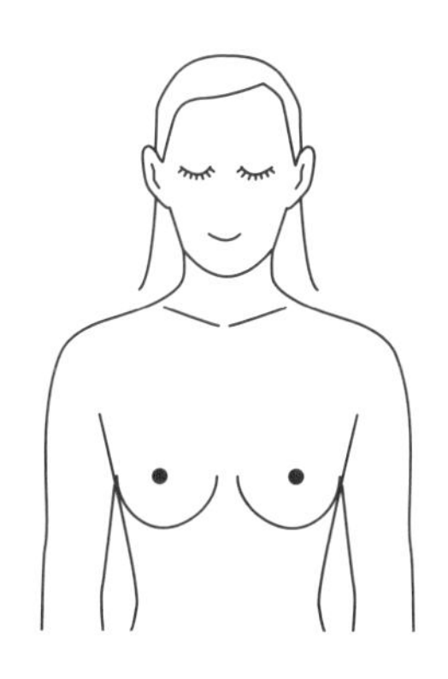

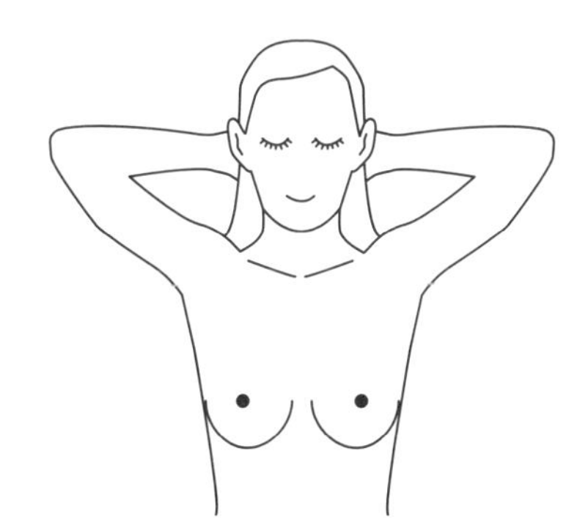

處。然後檢查左右乳房有無隆腫的情形，或凹入的部分；再檢查乳頭有無變形或糜爛之處，看看乳頭有無分泌物。

2 再將雙手舉起做 1 項同樣的檢查。

3 再平睡在床上，仰著頭，在左肩後放一個枕頭或毛巾將肩背墊高，先高舉左手將左手放在後腦，因肩下的墊物肩頸部就會上升，乳房的重心會移到內側，而乳房會變得平扁易於檢查，此時用右手五指併攏攤平，以乳頭為中心，上下摸壓內側，檢查乳房有無硬塊或異常隆腫。

4 在左邊乳房內側檢查完畢後，將高舉頸下的左手斜放回左身側，然後再用右手依上法檢查外側，此時應自上下兩方向外側轉動，由於乳房外側是較易生癌的地方，故需特別小心檢查。

5 左邊乳房內外側檢查完畢後，當按前法用左手檢查右邊乳房內外側。

三十歲以上婦女作以上檢查以每月一次為最妥善，若發現有異狀應立即求醫。

（資料提供：台中榮民總醫院體檢科）

（四）男性、女性理想體重對照表

男性理想體重對照表（單位／公斤）

身高（公分）	小體型	中體型	大體型
152.5	58.5	61.0	65.0
155.0	60.0	65.5	66.0
157.5	61.0	64.0	67.5
160.0	62.5	65.0	69.0
162.5	64.0	67.0	70.0
165.0	65.0	68.0	71.5
167.5	67.0	69.5	73.0
170.0	68.0	71.0	74.0
173.0	69.5	72.0	75.5
175.0	71.0	73.5	77.0
178.0	72.0	75.0	78.5
180.0	73.0	76.0	80.0
183.0	74.5	77.5	81.0
185.5	76.0	79.0	82.5
188.0	77.0	80.0	84.0
190.5	78.5	81.5	85.0
193.0	80.0	83.0	87.0
195.5	81.0	84.5	88.0
198.0	82.5	86.0	89.0
201.0	84.0	87.0	91.0
203.0	85.0	87.5	92.0

女性理想體重對照表（單位／公斤）

身高（公分）	小體型	中體型	大體型
142.0	35.0	38.0	41.0
145.0	37.0	40.0	42.5
147.0	39.0	42.0	44.5
150.0	41.0	43.5	46.0
152.5	42.5	45.0	48.0
155.0	44.5	47.0	50.0
157.5	46.0	49.0	52.0
160.0	48.0	51.0	53.5
162.5	50.0	52.5	55.0
165.0	52.0	54.5	57.0
167.5	53.5	56.0	59.0
170.0	55.0	58.0	61.0
173.0	57.0	60.0	62.5
175.0	59.0	61.5	64.5
178.0	61.0	63.5	66.0
180.0	62.5	65.0	68.0
183.0	64.5	67.0	70.0
185.5	66.0	69.0	71.5
188.0	68.0	71.0	73.5
190.5	70.0	72.5	75.0
193.0	71.5	74.5	77.0

（資料提供：行政院衛生署）

瑜伽課程體驗券

寫完這本書，一股愉悅湧上心頭。

我們並未有太多的地點提供讀者到教室接受老師的指導，這是我們遺憾的地方，也是我們能力有所不及之處，畢竟鄉城差距還是存在，是以我們出了這本工具書，可讓讀者在家自行練習，若有機會亦歡迎讀者專程到我們的教室接受老師的指導，相信您的感受，將會更提高您學習瑜伽的興趣。

邱素貞瑜伽天地・上課卡

週一至週日・晨、早、午、晚均有課（晨7:00～晚9:00）

本卡適用全省各分店，並可轉贈親友。

1.	2.
3.	4.

姓名：　　　　　　　　　編號：

有效期限：　　　年　　　月　　　日止

憑此截角購買
瑜伽天地系列產品
特價再9折報名學費8折優待

放鬆、再放鬆
健康取得真輕鬆

讓瑜伽當你健康的守護神

元氣系列17

著　　者／陳玉芬
出 版 者／生智文化事業有限公司
發 行 人／林新倫
執行編輯／鄭美珠
美術編輯／周淑惠
登 記 證／局版北市業字第1117號
地　　址／台北市新生南路三段88號5樓之6
電　　話／(02)2366-0309　2366-0313
傳　　眞／(02)2366-0310
E-mail／tn605547@ms6.tisnet.net.tw
網　　址／http://www.ycrc.com.tw
郵政劃撥／14534976
戶　　名／揚智文化事業股份有限公司
印　　刷／喬程彩色製版印刷有限公司
法律顧問／北辰著作權事務所　蕭雄淋律師
初版一刷／2001年4月
I S B N／957-818-258-9
定　　價／新台幣300元

國家圖書館出版品預行編目資料

讓瑜伽當你健康的守護神／陳玉芬著. -- 初版.
-- 台北市：生智，2001〔民90〕
面； 公分. --（元氣系列；17）
ISBN 957-818-258-9（平裝）
1. 瑜伽

411.7 90001929

§ 生智文化事業有限公司 §

D0001B	生命的學問 (二版)	傅偉勳/著	NT:150B/平
D0002	人生的哲理	馮友蘭/著	NT:200B/平
D0003	耕讀集	李福登/著	NT:200B/平
D0101	藝術社會學描述	滕守堯/著	NT:120B/平
D0102	過程與今日藝術	滕守堯/著	NT:120B/平
D0103	繪畫物語—當代畫體另類物象	羲千鬱/著	NT:300B/精
D0104	文化突圍—世紀末之爭的余秋雨	徐林正/著	NT:180B/平
D0201	臺灣文學與「臺灣文學」	周慶華/著	NT:250A/平
D0202	語言文化學	周慶華/著	NT:200B/平
D0203	兒童文學新論	周慶華/著	NT:250A/平
D0301	後現代學科與理論	鄭祥福、孟樊/著	NT:200B/平
D0401	各國課程比較研究	李奉儒/校閱	NT:300A/平
D0501	破繭而出—邁向未來電子新視界	張　錡/著	NT:200B/平
D9001	胡雪巖之異軍突起、縱橫金權、紅頂寶典	徐星平/著	NT:399B/平
D9002	上海寶貝	衛　慧/著	NT:250B/平
D9003	像衛慧那樣瘋狂	衛　慧/著	NT:250B/平
D9004	糖	棉　棉/著	NT:250B/平
D9005	小妖的網	周潔茹/著	NT:250B/平
D9006	密使	于庸愚/著	NT:250B/平
D9401	風流才子紀曉嵐—妻妾奇緣（上）	易照峰/著	NT:350B/平
D9402	風流才子紀曉嵐—四庫英華（下）	易照峰/著	NT:350B/平
D9501	紀曉嵐智謀（上）	聞　迅/編著	NT:300B/平
D9502	紀曉嵐智謀（下）	聞　迅/編著	NT:300B/平

MONEY TANK

D4001	解構索羅斯—索羅斯的金融市場思維	王超群/著	NT:160B/平
D4002	股市操盤聖經—盤中多空操作必勝秘訣	王義田/著	NT:250B/平
D4003	懶人投資法	王義田/著	NT:230B/平

解構索羅斯

王超群／著

本書與一般介紹索羅斯的書不同，主要是著重分析索羅斯的思考結構，因爲只有用這種方式進行研究，才能瞭解究竟索羅斯如何在金融市場進行投資行爲。除了這種方式以外，其他的歸納與描述都只是研究者一廂情願的自我投射而已。研究索羅斯的理論，最重要的是能夠藉由對索羅斯的瞭解，進而擁有足夠的知識，領悟並掌握市場的趨勢與發展軌跡，使我們能夠對於自己的投資更具信心。

股市操盤聖經

王義田／著

若想在股市競賽中脫穎而出，贏取豐厚的利潤，一定要熟悉各種看盤與操作的方法與技巧，並且反覆練習以掌握其中訣竅，再培養臨場的反應能力，便可以無往不利、穩操勝券了。本書將給您最實際的幫助，從強化心理素質，各種看盤工具介紹，開盤前的準備，所有交易資訊的研判，一直到大盤與個股各種特殊狀況的應對方法……等，不但詳細解釋，並且一一舉出實例來輔助說明。

ENJOY系列

D6001	葡萄酒購買指南	周凡生/著	NT:300B/平
D6002	再窮也要去旅行	黃惠鈴、陳介祜/著	NT:160B/平
D6003	蔓延在小酒館裡的聲音—Live in Pub	李　茶/著	NT:160B/平
D6004	喝一杯，幸福無限	曾麗錦/譯	NT:180B/平
D6005	巴黎瘋瘋瘋	張寧靜/著	NT:280B/平

LOT系列

D6101	觀看星座的第一本書	王瑤英/譯	NT:260B/平
D6102	上升星座的第一本書(附光碟)	黃家騁/著	NT:220B/平
D6103	太陽星座的第一本書(附光碟)	黃家騁/著	NT:280B/平
D6104	月亮星座的第一本書(附光碟)	黃家騁/著	NT:260B/平
D6105	紅樓摘星—紅樓夢十二星座	風雨、琉璃/著	NT:250B/平
D6106	金庸武俠星座	劉鐵虎、莉莉瑪蓮/著	NT:180B/平
D6107	星座衣Q	飛馬天嬌、李昀/著	NT:350B/平
XA011	掌握生命的變數	李明進/著	NT:250B/平